Líderes Que Inspiran

CX, SERVICIO Y HOSPITALIDAD

15 autores, un propósito

LÍDERES QUE INSPIRAN

CX, SERVICIO Y HOSPITALIDAD

© Líderes que Inspiran, 2022

© **Editorial PER, 2022**

Monterrey, Nuevo León, México.

Dirección ejecutiva: Pedro Eloy Rodríguez Garza

Edición de estilo: @lqilatam

Maquetación: coveryportada.com

Diseño de cubierta: coveryportada.com

Diseño y producción digital: Mariett Rodríguez Santacruz

Planeación: Paloma Rodríguez Santacruz

ISBN: 978-607-99789-8-3

Este libro está llegando a ustedes con el apoyo de:

Gracias a todos los profesionales (líderes) que forman parte de esta edición por confiar en mí, en especial, gracias a **Erika Ramos Becerril** por enamorarse del proyecto de esta edición y hacer propio el sueño que ahora es de todos.

Gracias a cada uno de los integrantes de las familias de estos quince líderes, porque ellos son lo que son, gracias al apoyo de padres, hermanos, hijos, pareja y amigos del corazón.

Durante años soñé con poder encontrar la forma de llevar información de valor a la gente, esos mensajes poderosos que pudieran inspirar y motivar a cualquier persona a ser mejor o iniciar el cambio interno. Estoy convencido de que el mundo necesita héroes, historias e ideas con las que pueda sentirse identificado para reconocer que todo es posible y que es el momento de incrementar el conocimiento, la forma de pensar, las relaciones, los hábitos y, en consecuencia, los buenos resultados.

En este libro encontrarás ideas, mejores prácticas, metodologías probadas, historias de vida, aciertos e, incluso, errores y desafíos narrados en primera persona por sus propios protagonistas.

Deseamos acercarte quince puntos de vista sobre una misma disciplina y estás a punto de conocer lo que tienen que decirte, desde su óptica, estos líderes en relación con la **experiencia del cliente, el servicio y la hospitalidad.**

Disfrútalo.
Pedro Eloy Rodríguez
www.pedroeloyrdz.com

Índice

BLOQUE DE SERVICIO AL CLIENTE (CS)

BLOQUE DE HOSPITALIDAD

Prólogo

"La cultura se relaciona con los objetos y es un fenómeno del mundo; la hospitalidad se relaciona con la gente y es un fenómeno de la vida".

*— **Hanna Hawking***

Llevo más de 20 años escuchando y comprobando lo rentable que puede ser para un negocio enfocar la atención en el cliente y sus necesidades de manera genuina. Y tengo más de 20 años explicando lo mismo a diferentes directores y dueños de negocios que continúan pensando en cómo ganar dinero sin importar los intereses reales de los clientes.

Desde el nacimiento del concepto de servicio al cliente, hasta ahora que algunos ya están apostando por la hospitalidad, sigue una disociación muy notable entre lo que dicen los directivos y lo que hacen en el campo. Las estadísticas indican que más del 98% reconoce que la experiencia del cliente es importante para el éxito de su negocio, pero solo el 23% de estos líderes realmente hace algo sobresaliente para que su cliente transite cómodamente la travesía que vive en sus negocios y lo peor, solo el 2% de estos actúa a favor del cliente cuando este tiene la razón, pero está el dinero de por medio.

Todos hablan del servicio, de la importancia de la experiencia de los clientes y de lo difícil que es despertar el nivel de la hospitalidad en los colaboradores, pero estos términos son más comunes en el papel, que en la vida cotidiana. Todos nos hemos topado con la frustración de no recibir un buen trato, con el desencanto de un servicio inferior a lo que se esperaba, o con la impotencia de no tener la respuesta esperada aún sabiendo que tienes la razón.

Recientemente, la plataforma de la mejor aerolínea mexicana me hizo el cobro del boleto de avión a través de su web con 1 mes de anticipación a mi viaje, pero un día antes de volar me doy cuenta que mi clave de reservación aparecía como cancelada. Después de intentar por muchas vías comunicarme con un ser humano que me pudiera dar una explicación, pues yo tenía en mi estado de cuenta el cobro aplicado del boleto, la única respuesta que recibí al lograr comunicación con un ser vivo fue, "mande un correo a servicio al cliente", y me especificó que tardarían más de 72 horas en responder, aun cuando le especifiqué que mi vuelo salía al día siguiente.

El error evidentemente era de ellos, pero si yo quería viajar, debía volver a pagar el boleto al precio actual, (te imaginas el precio al comprarlo de un día para otro) y además de eso debía esperar a que me contestaran el correo para pedir mi reembolso del dinero que previamente me habían cobrado, pero que su sistema no lo registró.

El servicio, la experiencia y la hospitalidad se centra en la **sensibilidad** que tiene una empresa para hacer sencillo y placentero el viaje de compra, así como en la **empatía** que tiene en sus procesos para aceptar la responsabilidad de sus errores y librar al cliente de pagar por sus fallas. Un cliente que siente que debe hacer algo que es injusto porque lo tienes acorralado, es un cliente que jamás volverá a sentir lealtad. El servicio, la experiencia y la hospitalidad, se trata de tomar entre tus manos, las **emociones**, los **temores** y las **ilusiones** de tus clientes, para crear algo que le haga sentir especial y mejor aún que le toque las fibras del alma.

Y eso es precisamente lo que encontrarás en los 15 episodios que estos grandes profesionales escribieron para ti en esta edición especial de Líderes que Inspiran, disfrútala.

Pedro Eloy Rodríguez Garza
Fundador de Grupo Percepciones & LQI
www.pedroeloyrdz.com

EXPERIENCIA DEL CLIENTE (CX)

Pablo Fiestas

Semblanza: Pablo Fiestas es vicepresidente de Customer Experience & Innovation en IZO, consultora española líder en Experiencia de Cliente con presencia en España y Latinoamérica. Su trayectoria profesional lleva más de 10 años vinculada a las estrategias de Experiencia de Cliente y del Empleado, con decenas de proyectos desarrollados enfocados en el diagnóstico de la experiencia, la innovación, y el rediseño de los momentos clave y la transformación organizacional en Europa, EE.UU., y Latinoamérica.

Es licenciado en Administración y Dirección de Empresas y en Derecho en ICADE (Madrid) y Máster Global en Digital Business (Barcelona, Harvard, Silicon Valley). Además, es Agile Coach certificado, certificado en Experiencia de Cliente por DEC y es profesor de Customer Experience e Investigación en ESIC Business School y otras escuelas de negocio desde 2012.

Intención: La práctica de la gestión de la Experiencia ha logrado tener suficiente recorrido para demostrar el valor que es capaz de generar a las organizaciones, no obstante, es necesario que los equipos dedicados a ella sean capaces de poner en marcha transformaciones que cuantifiquen el impacto que generan en los indicadores de negocio.

¿CÓMO CALCULAR EL RETORNO ECONÓMICO DE LA EXPERIENCIA?

¿DÓNDE ESTÁ EL IMPACTO DE LA EXPERIENCIA?

"

«Para lograr la transformación de la experiencia son necesarios indicadores económicos basados en el análisis del comportamiento de los clientes».

—**Pablo Fiestas**

"

He de reconocer que hace algo más de 10 años, cuando comencé a trabajar como consultor en algo nuevo y extraño llamado Experiencia de Cliente, me encontraba habitualmente con una situación incómoda y que puede que te resulte familiar de alguna forma: después de semanas o meses de trabajo, realizaba una presentación de resultados en donde habíamos valorado qué vivían los clientes, qué esperaban, y qué necesitaba ser cambiado. A lo largo de la presentación se evidenciaba que estaban apareciendo cosas interesantes, útiles, y valiosas para los equipos que participaban, con lo que además de la satisfacción profesional, podía ver que el trabajo realizado era de valor. Ahora bien, en el 80% de las ocasiones, y hacia el final de la presentación, alguien, generalmente parte del Comité de Dirección, acababa haciendo *la* pregunta: «Y esto, ¿cuántos ingresos adicionales nos va suponer?»

Mi primera reacción era pensar que las horas explicando qué es Experiencia de Cliente, cómo funciona, y por qué necesitamos trabajar en ello no habían servido de nada. No fue hasta más tarde que me di cuenta que en realidad, el problema no era la pregunta, sino suponer que es obvio que mejorar la Experiencia de Cliente trae resultados de negocio.

Para cualquiera que comience a explorar el mundo de la gestión de experiencias, se hace obvio y evidente que trae resultados. Hay un camino que conecta las piezas: cuando los clientes viven mejores experiencias, acaban tomando decisiones que traen más ingresos o menos costos, y con esto mejora la rentabilidad del negocio.

El reto al que nos enfrentamos no es identificar esta conexión, sino poder cuantificarla, explicarla, poder valorar de qué manera unas y otras transformaciones realizadas contribuyen a la cuenta de resultados, de modo que no se trate de una mera intuición sino de una evidencia.

Para esto, los equipos de Experiencia se enfrentan al reto de conectar las percepciones subjetivas del cliente con las decisiones que toman y, a su vez, conectar estas decisiones con el efecto sobre la rentabilidad y los resultados financieros.

El impacto está en la fidelidad

La gestión de Experiencia de Cliente (CX) es utilizada principalmente como herramienta para materializar estrategias de diferenciación y su principal propósito es la generación de una fuerte vinculación de la marca con el cliente.

En su forma más básica, la gestión de experiencias busca dar respuesta a necesidades de los clientes, de tal forma que se cumplan y superen las expectativas de los mismos. Cuando esto ocurre, la Experiencia de Cliente está contribuyendo a la percepción de valor de los productos y servicios ofrecidos. Si el cliente tiene experiencias positivas, será más probable que permanezca leal a la marca y continúe utilizando los productos y servicios de la compañía. Por oposición, si el cliente vive experiencias negativas, será más probable que abandone la compañía y se vaya con un competidor.

Ahora bien, cuando la gestión de la Experiencia de Cliente busca convertirse en una herramienta de aportación estratégica, no es suficiente con lograr que se produzcan los comportamientos que asociamos a la fidelidad. Es decir, no es suficiente con lograr clientes fieles. Cómo se logra esta fidelidad es igual o más importante. En estas causas se encuentran conectados comportamientos determinantes en la relación entre clientes y compañías. Estamos hablando de comportamientos tales como ser capaz de aceptar y perdonar que a veces las compañías fallan, como promover la marca con determinación o abanderar y compartir con orgullo la identificación personal con la misma.

Detrás de todo esto, se encuentran dos conceptos cercanos pero que necesitamos identificar y distinguir: la lealtad por conveniencia y la lealtad por vinculación emocional.

La lealtad se puede conseguir de muchas maneras. Por ejemplo, una práctica que ha sido (y aún es) muy habitual por parte de ciertas compañías, es la de realizar ofertas de retención cuando detectan, implícita o explícitamente, que un cliente va a abandonar la compañía. En este contexto, el cliente normalmente permanece en la compañía por conveniencia, por ejemplo, porque es más rentable mientras dure la oferta de retención o por no dedicar tiempo a buscar alternativas.

En cambio, bajo un planteamiento de la lealtad por vinculación emocional, los clientes se mantienen fieles a una marca o empresa a pesar de tener una oferta más atractiva. Se ha logrado generar una conexión emocional en la que existe una identificación con la marca; existe una percepción de valor más allá del meramente transaccional y de la utilidad inmediata de los productos y servicios. Esto se produce como consecuencia de experiencias que han logrado conectar con el cliente más allá de lo meramente transaccional.

Siendo que ambas son formas de lealtad, cabría pensar «¿qué importa una que otra si a fin de cuentas el resultado es que el cliente sigue siendo cliente?». Pues bien, existe una sutil diferencia: la lealtad por conveniencia es efímera y erosiona la cuenta de resultados. Para mantener la lealtad hay que pagar precios altos como una política continua de ofertas y descuentos que reducen continuamente los márgenes, un batallón de personas encargadas de la retención que contra-oferten a los clientes con argumentos y condiciones que no son reveladas hasta que hay una amenaza de salida y, en todo ello, establecer una relación de conveniencia en donde pareciera que cada parte lo que busca es exprimir tanto como se pueda a la otra parte.

¿Cómo afecta la fidelidad a las métricas económicas de la experiencia?
Existen diferentes ramificaciones de la vinculación emocional de los clientes. Después de haber podido trabajar con muchas compañías para calcular las métricas económicas de la experiencia, he podido comprobar que si bien siempre existen particularidades en cada compañía, que impiden crear reglas extrapolables a cualquier caso, también existen patrones con los cuales poder trabajar de forma general.

Una mayor vinculación emocional incrementa la duración de la relación. El efecto más notable cuando se fortalece la relación gracias a una mejor experiencia se manifiesta en términos de duración de la relación. Por un lado, desaparece la necesidad de buscar mejores alternativas, las ofertas de la competencia resultan menos atractivas, y la vinculación termina redundando en la predisposición de permanecer durante más tiempo como cliente.

Una mayor vinculación emocional incrementa las probabilidades de recompra y venta cruzada. Las experiencias positivas refuerzan la idea de que consumir los productos y servicios de la compañía es una buena idea. De esta manera, ante nuevas necesidades que puedan ser resueltas por la marca, la compañía está posicionada como una de las opciones preferentes o incluso la única considerada.

Una mayor vinculación emocional promueve la adquisición de productos y servicios de mayor valor. Además de la predisposición a volver a comprar los productos y servicios, también se identifica una mayor probabilidad de adquirir productos y servicios de mayor valor dentro de la categoría.

Una mayor vinculación emocional reduce los costes de captación de nuevos clientes. Una de las reacciones de los clientes vinculados emocionalmente es la de compartir con el entorno las experiencias positivas, el orgullo de trabajar con la compañía, y con ello, reafirmando la buena decisión de ser cliente de la compañía. Esta recomendación activa reduce de forma directa el coste de captación de nuevos clientes, ya que esta prescripción termina moviendo al entorno, al menos a algunos de ellos, a contratar los productos y servicios de la compañía.

El deterioro de la vinculación emocional supone mayores costes de gestión. Los clientes que se encuentran con problemas o brechas entre expectativas y vivencias terminan necesitando de asistencia cualificada, planteando por el camino incidencias, quejas, y reclamaciones. Esto se traduce en una sucesión de interacciones y gestiones internas cuyo tiempo y dedicación se traduce en costes de gestión por cliente y que probablemente podrían haber sido evitados de no haberse producido una experiencia negativa.

Como consecuencia de lo anterior, las mejores experiencias tienen también consecuencias en otros ámbitos de negocio como, por ejemplo:

Composición de la segmentación de valor: Existe una relación estrecha entre el impacto que las experiencias generan en los clientes y que, en el medio plazo, los clientes migren hacia segmentos de mayor valor. Normalmente, las clasificaciones basadas en valor consideran parámetros como la vinculación, número de productos contratados, la frecuencia de compra, o el importe medio de compra. Estas variables, como se indicaba anteriormente, se ven afectadas por las experiencias vividas, de modo que hay una mayor probabilidad de que aquellos clientes que viven mejores experiencias tiendan a ir reclasificándose en segmentos de mayor valor. Estos modelos de segmentación tienden a entregar mayores beneficios y esquemas de relación más estrechos a los clientes de mayor valor, con lo que refuerzan la vinculación emocional más aún, retroalimentando el proceso de fidelización.

Life Time Value: La métrica de LTV (Valor de Vida del Cliente) puede llegar a ser extremadamente compleja en algunas organizaciones, si bien, en definitiva, siempre busca medir el valor económico que genera para la compañía un cliente en todo su ciclo de vida. Puesto que muchas de las variables mencionadas anteriormente son consideradas para la valoración, podemos establecer que clientes con mejores experiencias ven incrementado su LTV, ya sea a través de la permanencia, cross-selling, up-selling, la dilución de los costes de captación y nueva venta, o la reducción de los costes operativos.

Un nuevo modelo para los equipos de experiencia.

Los modelos en la gestión empresarial llevan mucho tiempo entre nosotros, los necesitamos para facilitar la toma de decisiones en un contexto en donde existen más variables y datos que los que humanamente se pueden tener en consideración sin acabar en un bloqueo completo. Para entender esta realidad compleja, desde las disciplinas empresariales se han venido desarrollando modelos que ayudan a comprender qué está sucediendo, para así tomar decisiones informadas, más que basadas en intuiciones. Ahora bien, estos modelos necesitan evolucionar o ser sustituidos por otros desde el mismo momento en que introducimos nuevas variables o consideramos nuevas prioridades.

Uno de los ejemplos más claros de la disciplina de Customer Experience (CX) lo encontramos en el *Customer Journey* (viaje del cliente). Antes de la incorporación de esta herramienta, la representación de la secuencia por la que discurre un cliente se realizaba a través del *funnel* de ventas. Su foco es 100% en la venta y analiza las herramientas de persuasión en diferentes momentos para lograr la conversión en una venta. Este modelo, el *funnel*, está basado en el modelo AIDA, creado por Elmo Lewis en nada menos que 1898. Viéndolo en perspectiva, parece razonable que las necesidades de gestión empresarial en el siglo XIX y en el siglo XXI sean diferentes... y aun así el *funnel* sigue siendo una herramienta de utilidad y que sigue aplicándose.

La disciplina de Customer Experience (CX) nace por el déficit de los modelos anteriores para explicar y tomar decisiones en un nuevo contexto de relación exigente y cambiante con el cliente. Para ello, los equipos encargados de experiencia han necesitado desarrollar un nuevo *mindset*, nuevas herramientas de comprensión de la relación con el cliente, o nuevos métodos para el diseño de productos y servicios. Igual que han sido necesarios nuevos métodos y herramientas, es necesario concebir el rol del equipo de experiencia y su aportación a las organizaciones bajo un nuevo modelo. Este nuevo modelo sitúa al equipo de Experiencia de Cliente como un equipo de staff generador de resultados de negocio. Los ejes de este modelo son los siguientes:

1. **Los equipos de Experiencia son multiplicadores del impacto en el Negocio.**

Los equipos de experiencia no son áreas de negocio (no venden ni operan, no son los responsables de traer ni de gestionar en el día a día a los clientes). No obstante, su mayor desempeño se produce cuando, junto a las áreas de Negocio y de forma colaborativa, participan en el diseño y contribuyen a tomar decisiones que concilien necesidades del cliente y de negocio. De esta manera, facilitan la conexión de las necesidades y expectativas con los comportamientos y acciones organizativas. Como resultado, se convierten en un área multiplicadora de los resultados de negocio.

Cada vez más, las áreas de experiencia (CX), se constituyen como equipos transversales a la compañía, conectando con todos los departamentos. Una de las mejores prácticas para pasar de ser un centro de costes a un centro de aportación de valor, es identificar cuáles son las métricas de negocio en la intersección con cada uno de los equipos. A partir de ahí, es posible valorar cómo las iniciativas de transformación de la experiencia contribuyen a generar mejores resultados para cada equipo. En el proceso, se logra además pasar de una percepción de injerencia («el equipo de experiencia se está metiendo en algo que no le compete») a una alianza («mientras sigo trabajando para conseguir mis objetivos, tengo un apoyo que me aporta capacidades y recursos para encontrar nuevas formas de conseguirlos»).

Bajo este prisma, Experiencia no compite por los clientes, ni por las ventas o la rentabilidad, sino que contribuye haciendo que los recursos que hoy trabajan en conseguirlas lleguen más lejos.

2. El impacto en Negocio debe ser cuantificable y monetizable.

De forma intuitiva, conectamos mejores experiencias con una mayor satisfacción y esta con lealtad. Ahora bien, no es suficiente con intuir estas conexiones. Es necesario traducir mejores experiencias en una cuantía económica.

Es por ello que desde la disciplina de Experiencia de Cliente se viene trabajando en diferentes aproximaciones para poder identificar y valorar de qué manera una mejor experiencia se traduce en mayores resultados financieros. La consolidación del equipo de experiencia en la organización pasa a ser capaz de demostrar el valor que logra generar y la monetización de la inversión y del retorno que generan, debe formar parte de las prioridades de cualquier equipo que busque incrementar su contribución a la organización.

3. **Este efecto multiplicador se logra a través de transformaciones en la experiencia.**
En el rol de los equipos de experiencia se encuentran actividades como la comprensión de los clientes, analizar, y rediseñar el estado de la relación con el cliente. Estas actividades, igual que el desarrollo de un modelo económico de la experiencia, son actividades que por sí mismas no generan valor alguno. El ROI de realizar un *Customer Journey* es cero.

El verdadero valor se genera en el momento en el que se acciona este *Customer Journey*. En primer lugar, porque una comprensión profunda desde la óptica experiencial va a permitir accionar las palancas adecuadas de transformación en lugar de aquellas que solo influyen tangencialmente en la Experiencia de Cliente. Por otro lado, el esfuerzo de los equipos de experiencia generalmente se hace junto al apoyo de otros equipos: mientras el equipo comercial está vendiendo o el de servicio al cliente resolviendo incidencias, CX está ayudando a construir nuevas formas de vincular a los clientes, de modo que el trabajo de los equipos de venta o servicio se vuelva más sencillo o genere mayores resultados.

Contar con un sistema de gestión de la experiencia orientado a la transformación es fundamental. Si este sistema incorpora además las palancas del negocio, todo esfuerzo que se dedique en la transformación será un esfuerzo dirigido a lograr los resultados del Negocio.

¿Por qué no funcionan los métodos tradicionales para calcular el ROI de la experiencia?

Intentando dar respuestas con el cálculo del ROI

Desde una perspectiva clásica, el retorno de la inversión de una iniciativa específica, el ROI, es medido a través de la siguiente fórmula:

$$ROI = \frac{Ingresos\ generados\ por\ la\ inversión - Coste\ de\ la\ inversión}{Coste\ de\ la\ inversión}$$

Existen diferentes maneras de calcular el ROI, si bien cuando se está buscando analizar un proyecto concreto en donde se está poniendo en marcha una acción de transformación de la organización, se tiende a analizar lo que genera este proyecto y compararlo con el esfuerzo económico para llevarlo a cabo. Por supuesto, este modelo se puede depurar y enriquecer, por ejemplo, considerando no solo la inversión inicial sino también todos los gastos incurridos en un periodo de tiempo.

¿Qué dificultad presenta este tipo de análisis para los equipos de experiencia? En primer lugar, la mayor debilidad de este esquema es que su principal caso de uso está pensado para inversiones que ya han sido realizadas. En segundo lugar, que requiere contar con certeza en cada uno de los componentes.

En inversiones ya realizadas y para las que se quiere analizar su rentabilidad en el momento actual, encontramos un escenario idóneo: se sabe cuánto se ha invertido, los gastos incurridos, y cuál es el valor de los ingresos obtenidos. Por ejemplo, para una compra de acciones en bolsa: se ha realizado compra de 10 acciones, se sabe que han costado 100 $, que los gastos de la compra ascienden a 5 $, que tres meses después entregaron un dividendo de 15 $, y que hoy valen 120$. Para el cálculo de la rentabilidad, se tienen todos los valores y solo hay que sumar, restar, y dividir:

$$ROI = (10 * 120 + 15) - (10 * 100 + 5)/(10 * 100 + 5) = 1.214$$

Ahora, volvamos a nuestro ámbito de experiencia (CX) y la situación habitual a la que nos enfrentamos: queremos poner en marcha una serie de transformaciones de la experiencia y necesitamos justificar por qué tiene sentido invertir y por tanto que nos autoricen el presupuesto para ello. Cuando vamos a nuestra fórmula, ya en el primer término nos encontramos con dificultades: necesito saber cuál es el ingreso que va a generar la inversión... ¿y cómo saberlo, si no la he puesto en marcha? La parte de los costes puede ser un poco más clara y sencilla, se puede tratar de hacer un presupuesto (que probablemente a la hora de poner las cosas en marcha descubra que hay que hacer cosas que no estaban previstas inicialmente... o al menos no todo lo que se necesita si se quiere que las cosas salgan bien realmente).

Por tanto, nos encontramos que, antes de poner en marcha la inversión, no sabemos qué es lo que va a suceder, lo cual es muy humano; de saberlo, probablemente ni tendríamos que justificar la inversión... o más aún, de saber qué va a suceder en el futuro ni tan siquiera nos estaríamos dedicando a esto.

Uno de los caminos de salida ante esta vía sin salida es la de proyectar escenarios. No obstante, hablando en términos de experiencia, el panorama no es mucho más halagüeño. Sigue siendo fácil calcular los costes, pero, ¿los ingresos? Las proyecciones las puedes basar, en el mejor de los casos, en intuiciones, pero probablemente no durarían un asalto en la realidad... o ante el Comité de Dirección.

La cuestión que hace todo esto frustrante o divertido, según se quiera, es que, a pesar de todo ello, nos siguen pidiendo insistentemente que antes de poner en marcha las iniciativas valoremos lo que se va a generar con ellas. No parece que podamos llegar muy lejos por este camino. Es por ello que necesitamos explorar nuevas formas de construir nuestros modelos de justificación económica.

Un nuevo enfoque: El enfoque experiencial.
Los fundamentos de la disciplina nos dicen que debemos mirar hacia el cliente, comprender quién es, qué vive, y trabajar con ello. Cuando trabajamos en los modelos económicos de la Experiencia, en definitiva, lo que estamos analizando son las consecuencias de lo que hacemos como compañías, en concreto, consecuencias económicas de las experiencias vividas.

Desde este punto de vista, el enfoque experiencial, en el componente clave de las métricas económicas de la Experiencia no son los euros o los dólares; son los comportamientos de las personas. En realidad, la medición del retorno de la Experiencia no se basa en el importe económico invertido o generado, **los indicadores económicos de la Experiencia se basan en el análisis del comportamiento de los clientes.** Para ser más precisos, en **los comportamientos que producen como consecuencia de las experiencias que viven con la compañía y que, como consecuencia, afectan a la cuenta de resultados.**
Es decir:

1. Necesitamos identificar comportamientos.
2. Estos comportamientos deben poder vincularse a experiencias

3. La consecuencia de estos comportamientos debe poder conectarse a la cuenta de resultados

Estamos por lo tanto buscando una cadena causal: el cliente vive determinada experiencia (positiva o negativa), como consecuencia toma una decisión que se manifiesta en un comportamiento determinado, ya sea de forma inmediata o pasado un tiempo, resultando en un mayor ingreso y/o un menor coste para la compañía. Esto implica varias cosas y que podemos ilustrar a través de varias situaciones a modo de ejemplo:

Lo importante en el análisis no es lo que hacemos como organización, es lo que generamos en el cliente, evidenciable a través de sus comportamientos (situación 1).

No todos los impactos en la cuenta de resultados son relevantes para este análisis; solo aquellos que tienen origen en una vivencia con la compañía (situación 2).

No todas las experiencias tienen una consecuencia última en la cuenta de resultados. Puede haber eventos que ni suman ni restan o eventos que no son suficientes para provocar un comportamiento que afecta a la cuenta de resultados, por más que sean deseables (situación 3).

Situación	Comportamiento del cliente	Vinculado a experiencias vividas	Conectado a la cuenta de resultados
1. Un cliente es atendido de forma inmediata sin esperas	X	√	X
2. Un no cliente contrata un producto en oferta en una campaña de telemarketing	√	X	√
3. Un cliente indica en una encuesta que ha recibido un buen trato en su última interacción	√	√	X
4. Un cliente recomienda nuestro producto a 3 personas tras 6 meses de uso	√	√	√

Métodos para calcular el retorno económico de la Experiencia de Cliente

Customer Experience (CX) es una disciplina joven y que se caracteriza por contar con principios claros, así como herramientas y metodologías de uso frecuente y muy pocas restricciones o limitaciones, lo que ha provocado que, al trabajar sobre las métricas de la Experiencia, hayan surgido diferentes aproximaciones y formas de abordar su obtención y cálculo. No se trata de fórmulas diferentes que llevan al mismo número, sino distintas maneras en las que materializar la conexión entre experiencias y resultados de negocio.

La selección de unos y otros métodos principalmente obedece a las capacidades organizativas para generar, recopilar, y asociar datos procedentes de la Experiencia con los que existen acerca de la operación y negocio. Estas capacidades en ocasiones están determinadas por varios factores como son la naturaleza del negocio (por ejemplo, la capacidad de asociar datos de clientes específicos a transacciones concretas en negocios de retail suele ser mucho más complejo que en compañías de servicio en las que se tiende a identificar en cada interacción a los clientes), la tipología de clientes (por ejemplo, existe una gran diferencia en gestión, métricas, y operación de clientes B2B o B2C), o la tipología de productos (como puede ser productos *software as a service* o productos de gran consumo). Es por ello que no existen reglas universales, sino guías que deben ser particularizadas a estas capacidades organizativas.

En cualquiera de los casos, los siguientes constituyen una lista de pasos que será necesario recorrer, con independencia del método específico que se emplee, y que se describen a continuación:

1. **Identificar las métricas relevantes de negocio, tanto las de la cuenta de resultados como las métricas de gestión que las mueven**

   El primer paso implica "empezar por el final": necesitamos saber cuáles son los indicadores que la organización emplea para medir el desempeño económico de Negocio. En determinadas ocasiones, estos indicadores son métricas que directamente podemos asociar en la cuenta de resultados, bien por ser elementos de la misma, o ratios que se desprenden de ella. En otras ocasiones, las organizaciones emplean indicadores que están ampliamente reconocidos y aceptados para valorar en impacto económico, ya que están más próximos a la actividad habitual de gestión, aunque no pertenecen a la cuenta de resultados como tal el efecto sobre ella es directo.

   Por ejemplo: Métricas asociadas a la cuenta de resultados: ingresos, coste de las ventas, rentabilidad por cliente. Métricas de gestión: frecuencia de compra, valor medio de compra, número de productos contratados, coste de captación, coste de servicio por cliente.

2. **Identificar los comportamientos de los clientes conectados a las métricas de negocio y gestión**

   El punto de partida es que los comportamientos que se producen como consecuencia de las experiencias vividas son los que permiten construir las métricas económicas. Es por ello que necesitamos listar estos comportamientos, asociándolos de forma directa a las métricas de gestión y de la cuenta de resultados. Probablemente una vez realizado el listado inicial es necesario depurarlo para asegurar que trabajamos sólo sobre aquellos comportamientos que podemos identificar de alguna manera en nuestra organización y que podemos activamente conectar a las métricas.

Por ejemplo: Recomendar activamente la compañía (afecta a los costes de captación), abandonar la compañía (afecta a los ingresos y a la rentabilidad), incrementar el gasto con la compañía (afecta a la rentabilidad por cliente).

3. Recopilar información de la experiencia de los clientes

Nuevamente, volviendo a las claves de las métricas económicas, queremos valorar los comportamientos que se producen como consecuencia de las experiencias vividas. Por lo tanto, igual que necesitamos identificar los comportamientos, necesitamos poder asociarlo a las experiencias vividas. Muchos de los métodos requieren saber si el cliente ha vivido experiencias positivas o negativas, en general o en relación con una interacción concreta. La única forma de saberlo realmente es preguntando a los clientes. Es por ello que normalmente necesitamos mecanismos de medición de la Experiencia para poder construir los modelos económicos.

Por ejemplo: estudios ad-hoc para identificar motivaciones y comportamientos que los clientes han realizado o tienen intención de realizar como consecuencia de sus experiencias, así como programas transaccionales y relacionales de Voz del Cliente.

4. Asociar información operacional a la información de la experiencia

En muchos de los métodos vamos a necesitar conectar, filtrar, y cruzar experiencias con la información generada por los sistemas. En ocasiones serán los sistemas transaccionales, en otras, modelizaciones y clasificaciones de clientes o simplemente datos disponibles en el CRM. No es que se requieran capacidades avanzadas de tratamiento masivo de datos, pero sí tiende a ser útil, si no necesario, poder extraer datos específicos, a nivel cliente, y asociarla a diferentes fuentes.

Por ejemplo: número de contactos por canal, métricas clave de servicio en los momentos de la verdad, segmento al que pertenece el cliente, productos contratados, antigüedad.

5. **Conectar comportamientos, experiencias, y datos operacionales**

   Recopilados los datos, es necesario explorar la información para identificar los patrones y aquellos comportamientos que mejor explican la relación entre Experiencia y Negocio. La búsqueda no siempre es evidente ni sencilla y está sujeta a las particularidades de cada industria, si bien el análisis siempre se dirige en la misma dirección: las experiencias influyen en las decisiones de los clientes y estas decisiones afectan a la cuenta de resultados.

   Las formas en que se pueden generar estas conexiones se describen más adelante.

6. **Monitoriza y evalúa tu sistema de entrega de experiencias**

   Ya sea a través de un análisis estático, como el que se puede obtener a partir de los *Customer Journeys* o más dinámico, como el que surge con los programas de Voz del Cliente, es necesario tener claridad de las capacidades actuales de la organización para cumplir y superar expectativas de los clientes, comprendiendo dónde se alcanzan o dónde no, bajo qué circunstancias, o para qué clientes. Esto implica el desarrollo de determinadas actividades que permiten **pasar de la obtención de un modelo de métricas de la Experiencia y sus impactos financieros a un sistema de gestión basado en las capacidades para aportar valor al cliente y a Negocio.**

a. Analiza los datos para identificar tendencias y áreas de mejora

¿Cuáles son los Momentos de la Verdad a lo largo del *Journey* del cliente? ¿Cuánto determinan estas situaciones las decisiones futuras? ¿Cuáles son por tanto los focos de trabajo para lograr entregar una experiencia que vincule emocionalmente a los clientes, genere diferenciación, y aporte valor a las partes? Para dar respuesta a estas cuestiones es habitual tener *skills* o un equipo específico dedicado al análisis, detección, y establecimiento de focos de trabajo a partir de la monitorización y el análisis de *Journeys*.

b. Implementa transformaciones en la Experiencia y mide el impacto que generan

De nada sirve conectar experiencias a resultados si no lo accionamos. Contando con la información acerca de estas conexiones, es necesario extrapolarlo y llevarlo a los procesos de toma de decisiones para la transformación de la Experiencia. Ya sea porque contamos con capacidades analíticas que nos indican el peso que determinadas situaciones tienen sobre el NPS de una interacción determinada o porque realizamos tests A/B en los que comparamos los resultados de pilotos de transformación, los datos del retorno económico de la Experiencia deben ser parte del proceso de toma de decisiones.

Como resultado, el propio equipo de Experiencia debe contar con la información en la que pueda plantear que el despliegue de una acción concreta dirigida a transformar determinado punto de contacto va a tener un impacto en la experiencia y decisiones de los clientes, con lo que se produce un impacto en resultados.

Métodos específicos

Ahora bien, más allá de unos pasos generales que se pueden dar, podemos identificar técnicas concretas que permiten concretar formas específicas para conectar experiencias y resultados. La siguiente tabla resume estos métodos que quedan descritos a continuación:

Método	Dificultad	Requerimientos
Intenciones de comportamiento	Baja	Realización de encuestas a clientes
Contraste de intenciones con comportamientos reales	Baja	Realización de encuestas a clientes y paciencia
Potencial frente al líder	Baja	Estudio *benchmark* con métricas de experiencia
Tasa «earned growth»	Media	Encuesta de motivos de contratación a nuevos clientes. Datos de negocio por cliente y año
Relación directa de indicadores de Experiencia y Negocio	Alta	Atribución a nivel de cliente de métricas de Experiencia y operacionales

Método 1: Intenciones de comportamiento

Este es, probablemente, el más sencillo de todos los métodos: se basa en preguntar a los clientes a través de encuestas cómo se van a comportar en el futuro, indagando específicamente en los comportamientos que hemos identificado previamente como conectados a métricas de Negocio.

Estas respuestas son meramente una declaración de intenciones; nada garantiza que se vaya a producir este comportamiento, pero, cuanto menos, el cliente está declarando que, a día de hoy, su experiencia le inclina hacia determinadas acciones, suficiente para ser considerado indiciario de qué podría suceder a futuro. Además, para poder trabajar desde la óptica experiencial, necesitamos saber cómo valora la experiencia vivida hasta el momento, ya sea de forma general con la compañía o con un punto de contacto en específico.

Si este análisis se quiere realizar de forma más precisa, es recomendable contar con la capacidad para conectar data operacional a cada cliente y por tanto sus respuestas, es decir, identificar al cliente en las encuestas y poder asociar a este cliente información de negocio (cuánto compra, qué productos, desde hace cuánto, etc.), aunque una práctica habitual es trabajar con valores medios de la cartera de clientes.

Este modelo, a cambio de entregar una precisión limitada, resulta muy sencillo de ejecutar; motivo por el cual es un método elegido por equipos de Experiencia que se encuentran en los primeros pasos de la determinación del impacto económico.

Un ejemplo de pregunta en este modelo sería preguntar: «En base a tu última experiencia con la compañía, ¿comprarías un nuevo producto de [nombre de compañía]?» Si conocemos la rentabilidad o el ingreso por la venta de un producto adicional, podemos multiplicar este valor por el porcentaje de clientes que han indicado que intencionalmente lo comprarían. Este análisis se podría luego comparar entre aquellos clientes que han vivido experiencias excepcionalmente positivas con los que han vivido experiencias muy negativas o neutras.

Método 2: Contraste de intenciones con comportamientos reales

El método anterior tiene un sustento muy sólido —qué nos dicen los clientes que van a hacer—, si bien al mismo tiempo es su mayor debilidad: no todos los clientes que dicen que van a comprar un nuevo producto o a abandonar la compañía terminan haciéndolo. Es por ello que necesitamos mecanismos que permitan incrementar la precisión del modelo, pasando de intenciones a comportamientos reales.

Solo existe un ingrediente para poder hacerlo de forma 100% fiable: paciencia. Si un cliente te ha contestado en una encuesta que va a abandonar la compañía o contratar un nuevo producto, habrá que esperar para comprobar si es así.

Es, por tanto, un modelo muy fácil desde el punto de vista técnico, si bien requiere normalmente de al menos un año para empezar a tener datos con los que trabajar. En definitiva, lo que se busca es analizar qué porcentaje de clientes que dijeron que se iban a comportar de determinada manera han acabado haciéndolo pasados seis meses, un año, dos años, etc.

Como resultado, cada vez que se obtenga una respuesta en una encuesta de un comportamiento intencional, sabremos que en un "x" por ciento de las ocasiones acabará convirtiéndose en realidad.

Un ejemplo de aplicación sería demostrar que el 40% de los clientes promotores que declaran en una encuesta que van a comprar un nuevo producto, realmente lo compra en un periodo de 1 año. Por tanto, se podrá obtener una valoración económica derivada de los promotores para el próximo año multiplicando el 40% por el ingreso o rentabilidad de la venta de un producto adicional por el número de promotores que tengo hoy.

Método 3: Potencial frente al líder

Una aproximación diferente es la de comparar la capacidad de la organización contra el competidor de mayor desempeño en términos de Experiencia. Cuando se quiere establecer hasta dónde se podría llegar a generar a través de la gestión de las Experiencias, se hace muy complicado sin hacer un análisis comparativo (serían ejercicios sobre escenarios hipotéticos). No obstante, este método propone identificar qué ha sido capaz de obtener un competidor en el mercado. Es decir, comparar contra una serie de valores que alguien ya ha demostrado que se pueden alcanzar.

Para ello es necesario contar con un estudio sectorial que aporte datos de Experiencia para diferentes compañías del sector, asegurando que toda la información es obtenida bajo la misma metodología y, por tanto, comparable. Si los datos aportados trabajan directamente sobre análisis de intención de comportamiento, como en los métodos anteriores, solo habría que comparar las métricas obtenidas por el líder del mercado con las propias.

Por ejemplo, si para el líder del mercado, el 60% de los promotores indican que están dispuestos a comprar un nuevo producto y para mi compañía este dato es del 40%, se obtendría el potencial de la Experiencia que es alcanzable comparando el ingreso o rentabilidad de vender un producto adicional al 60% del número de promotores del líder contra ese mismo ingreso o rentabilidad de vender un producto adicional al 40% del número de promotores que tenemos nosotros.

Método 4: Earned Growth Rate

Este modelo procede del trabajo de Fred Reichheld, creador del NPS y autor de múltiples publicaciones sobre este indicador. Lo describe en su obra «Winning on Purpose». Su planteamiento, contrario a lo que cabría esperar, buscar no depender del Net Promoter Score. Argumenta principalmente lo hace debido a la desconfianza que puede generar en determinadas organizaciones la desvirtuación de sus resultados por malas prácticas en su aplicación (por ejemplo, empleados indicando que solo una respuesta de 9 o 10 se considera como una respuesta positiva porque su retribución variable depende del resultado de NPS).

Para ello propone identificar dos parámetros conectados a la Experiencia. En primer lugar, los Ingresos Netos de la Retención. Para obtenerlo es necesario identificar el ingreso en este año procedente de los clientes que ya lo eran el año pasado y dividirlo por el total de ingresos del año pasado. Con esto se puede analizar el valor proporcionado por los clientes que se han retenido.

En segundo lugar, es necesario calcular el ingreso generado por los Nuevos Clientes Ganados, diferenciándolo de los nuevos clientes adquiridos a través de canales promocionales. Para ello el método recomendado es preguntar a los nuevos clientes el motivo principal por el que se han hecho clientes e identificar específicamente. Respuestas tales como «reputación de confianza» o «recomendación de familiares o amigos» contabilizan al cliente hacia los Nuevos Clientes Ganados, mientras que respuestas como «oferta» o «anuncio en medios» contribuyen hacia clientes adquiridos por canales promocionales y por tanto no considerados en la valoración.

Cada uno de estos dos términos, expresados en porcentaje, es sumado. Simplificando, este método valora el ingreso generado por recompras y *upgrades* de los clientes que ya teníamos, es decir, cuánto ingresamos gracias a que generamos una experiencia tal que los clientes se quedan con nosotros, y el ingreso de los clientes captados por los nuevos clientes referidos, es decir, los clientes que captamos gracias a las experiencias positivas que creamos en nuestros clientes.

Método 5: Relación entre indicadores de experiencia e indicadores de negocio
El método probablemente más detallado a la vez que complejo es la evaluación de cada uno de los indicadores de gestión y métricas de negocio en relación con los indicadores de Experiencia.

En esencia, lo que se busca es la cadena causal entre vivir determinadas experiencias y la aparición de comportamientos que se cuantifican en las métricas de negocio. De una forma general habría que identificar para cada uno de los clientes la valoración que hacen de la Experiencia con la compañía (por ejemplo, a través del NPS, CSAT u otro indicador) así como el valor de todas aquellas métricas de gestión y negocio asociadas (por ejemplo, número de compras, valor medio de la compra, coste de servicio). Con esto es posible comparar los valores de negocio para los clientes que han vivido experiencias positivas o negativas.

Este método puede llegar a hacerse muy específico, por ejemplo, si se combina con un programa de Voz de Cliente transaccional, en donde además es posible contrastar y depurar la valoración en experiencias transaccionales, que probablemente tengan un impacto bajo en decisiones futuras, frente a Momentos de la Verdad que tenderán a influir activamente en las decisiones de los clientes.

Conclusiones

La práctica de la gestión de la Experiencia ha logrado tener suficiente recorrido para demostrar el valor que es capaz de generar a las organizaciones, no obstante, es necesario que los equipos dedicados a ella tomen un nuevo rol sustentado en un modelo de colaboración, monetización, y multiplicación del esfuerzo empleado por cada área de la compañía.

Para ello, existe un camino razonablemente intuitivo: una mejor Experiencia de Cliente influye en las decisiones de los clientes en la medida que se genera un vínculo de carácter emocional. Este vínculo emocional es un factor determinante en la fidelidad y retención de los clientes, contribuyendo a partir de ahí a mayores ingresos y menores costos. El reto reside en convertir este camino intuitivo en datos concretos que cuantifiquen la manera en la que las mejoras en la Experiencia de Cliente conducen a su vez a mejoras significativas en los resultados financieros.

Contar con un sistema de gestión orientado a la transformación de la Experiencia que contribuya a la confluencia de los intereses del cliente y del negocio, es esencial. Con ello es posible desarrollar modelos adaptados a un nuevo paradigma en el que los equipos de Experiencia se convierten en multiplicadores de valor para la organización, no solo porque son capaces de medir la contribución a los resultados financieros, sino porque son un motor continuo de transformación capaz de accionar las palancas que hacen realidad una mejor experiencia traducida en mejores resultados.

EXPERIENCIA DEL CLIENTE (CX)

América Bernal Hluz

Semblanza: América es un alma inquieta, ávida de aprender y siempre en búsqueda de nuevas experiencias que enriquezcan su vida personal y profesional.

Por esta razón eligió ser mercadóloga, para poder así explotar sus dotes de liderazgo, habilidades creativas, pensamiento crítico, y el desarrollo de soluciones estratégicas basadas en la innovación. Asimismo, cuenta con una MBA en Hospitalidad, un Máster en Estrategia Digital, además de diversos cursos y certificaciones en servicios, marketing digital, y experiencia de usuario (UX).

Su pasión e interés radica en el análisis de la relación del cliente con la marca a través de la disrupción estratégica, fidelización del cliente a través de la resiliencia, creación de valor a través de experiencias digitales, y redes sociales como herramienta para mejorar la relación con el cliente. Además de otros tópicos como el turismo de reuniones y el reposicionamiento de marca por medio de la empatía con el consumidor final.

Intención: En este capítulo lograrás inspirarte para el desarrollo de estrategias de reposicionamiento de una marca-ciudad. Se tomará como ejemplo al puerto de Acapulco, el cuál sufrió una decadencia notoria en los últimos 25 años, afectando directamente su economía, su fuerza laboral, y la dinámica social, contra otras ciudades que han sabido implementar la tecnología como una ventaja competitiva.

Estas estrategias estarán basadas en realidades experimentadas en otros destinos turísticos, que pueden ser aplicables a otras marca-ciudad para contribuir en la mejora de la industria de hospitalidad y de servicios.

6 INNOVACIONES PARA LA TRANSFORMACIÓN DIGITAL:

LA EXPERIENCIA DEL CLIENTE EN UNA CIUDAD

> «*La clave del reposicionamiento es reinventarse a la altura de los tiempos.*»
>
> —**América Bernal Hluz**

A lo largo de mi vida la gente me ha preguntado cómo fue que después de estudiar la licenciatura en Marketing decidí desarrollarme en puestos que involucraban el servicio al cliente e incluso preguntaban qué hacía que me interesara en desarrollar una carrera profesional en turismo, no solo como un empleo, pero como una labor con dedicación y pasión... nadie lo entendía. Sin embargo, mi respuesta siempre fue la misma: Servicios + Turismo = Marketing de la Hospitalidad, una profesión que es bella porque implica dar tu tiempo, tu plena atención, tu conocimiento para ofrecer soluciones personalizadas, tu astucia para ir más allá de las expectativas del cliente logrando una identificación con los valores de lmarca, y por ende un retorno del cliente con lealtad.

Al principio fue complejo incluso para mí encontrar el hilo conductor que uniera mi pasión, la cual era la combinación de muchas disciplinas. Después fue sorprendente ver que todas ellas ya formaban un solo concepto que maravillosamente se encuentra en constante evolución, valiéndose de los avances tecnológicos a pasos agigantados, dando origen a nuevas formas de contribuir con el progreso de nuestra sociedad.

En otras palabras, la vida me llevó a descubrir el Marketing Digital para la Hospitalidad, concepto que interpreto como aquella estrategia que se vale de los medios tecnológicos, virtuales, y digitales para solucionar problemas dentro la industria de servicios. Y ojo con esto, pues la industria de servicios implica ir más allá del turismo. Si algo he aprendido a lo largo de mi carrera, es que la hospitalidad se encuentra en la interacción entre clientes y marcas, sin tener en cuenta si esta acción se lleva en un banco, en un hotel, en una biblioteca, en una tienda, o en una negociación entre dos personas en el ámbito financiero.

Si estás leyendo este capítulo, es porque también tienes la inquietud de destacar mejorando la experiencia de tus clientes dentro del sector de servicios que implique un impacto en tu ciudad, y generar una sinergia del ganar-ganar, resaltando las cualidades únicas de tu marca, creciendo junto con tus aliados y competidores. Partiendo de esta idea, te ofrezco en este texto ideas para inspirarte, que podrás aplicar en tu negocio o en tu comunidad, dar el ejemplo, y lograr que comencemos a movernos todos con una sola dirección.

Te adelanto que todo lo anterior se puede lograr con la implementación de un concepto llamado *smart cities* o ciudades inteligentes. Sin embargo, a partir de aquí, te propongo que dicho concepto lo consideres como la estrategia de marketing de hospitalidad adecuada e innovadora, que se vale de la revolución digital para abrirse camino en un mundo globalizado, con individuos con demandas cada día más exigentes y segmentos de mercado muy específicos. La innovación aplicada a las mejoras de una ciudad o a sus negocios se puede considerar también una estrategia de reposicionamiento de marca, o mejor dicho de una marca-ciudad.

Y es que el concepto de marca-ciudad es que es tan amplio, que me voy a atrever a «diseccionarlo para después fusionarlo» con otros conceptos, permitiendo así, explicar mejor la idea que hoy quiero que conozcas. Ahora bien, para hacer de esta lectura algo más interesante, vas a encontrar que después de hacer una revisión de estas innovaciones aplicables a una ciudad, se tomará como caso de análisis el puerto de Acapulco, y la razón de esto es porque además de ser oriunda de este maravilloso lugar, he identificado, tras mis investigaciones previas, que su historia es digna de ser un antecedente con «bandera roja» para cualquier otro destino turístico. Misma historia que te quiero contar brevemente para entrar en contexto.

Se dice que, alrededor de 1959, tras el conflicto entre el gobierno de Cuba y Estados Unidos, los norteamericanos detuvieron los vuelos comerciales hacia esta isla, lo que orilló que buscaran un nuevo destino de playa que estuviera convenientemente cerca para toda la nación. Tomando en cuenta que en ese momento las ciudades para vacacionar de ese momento eran Monte Carlo en Mónaco o La Costa Azul en Francia, esto les hizo pensar: «¿Qué destino turístico cercano, podría ofrecernos una bahía privada similar a bajo costo?».

No es de sorprenderse que a alguien se le ocurriera pensar en su vecino del sur, la República Mexicana, que en ese entonces se conectaba hacia Estados Unidos con vuelos directos mayoritariamente con rumbo a la capital, la cual tenía una carretera casi nueva que te llevaba a sus playas más cercanas. Correcto; coincidencia o no, se trataba nada más y nada menos que de Acapulco; una ciudad que, sin planearlo, creció mezclando la zona hotelera con las viviendas, las playas, y sus bellezas naturales. Fue así cómo estrellas de Hollywood, multimillonarios, políticos, y personalidades internacionales llegaron a visitar este lugar, para congregarse y dar paso a uno de los destinos turísticos más memorables a nivel internacional entre la década de 1960 y 1970.

En aquel entonces, Acapulco se llenó de cadenas hoteleras mundiales como Hilton, Sheraton, Hyatt, y otras más pequeñas como Best Western o Holiday Inn, solo por mencionar algunas. También había restaurantes de lujo, salones majestuosos congregando a los mejores artistas, espectáculos acuáticos en ski, e incluso llegó a ser el set para películas de Elvis Presley, y Johnny Weismuller, mejor conocido como Tarzán.

Pasado el tiempo, entre 1980 y 1990, los inversionistas extranjeros querían más, de modo que el gobierno de México comenzó con el desarrollo de CIPs (Centros Integralmente Planeados), lo que dio pie a destinos que hoy conocemos como son Los Cabos, La Riviera Maya, Vallarta, etc. Por su parte, Acapulco, fue quedando atrás. La inversión extranjera comenzó a ser desplazada por la inversión local, el turismo internacional era reemplazado por el turismo nacional que optaba por gastar cada vez menos, al omitir el hospedaje en hoteles y optar por rentar una casa. Así, se disminuyó sustancialmente la visita a restaurantes lujosos, mientras que el gobierno involucrado en la industria dejó de lado la modernización, la capacitación de personal, la educación especializada, la remodelación de atractivos turísticos, así como el desarrollo de otros nuevos. Esto paulatinamente trajo una serie de eventos tristes y lamentables que incluyeron corrupción, violencia, migración, fuga de talentos, y pobreza, dejando a Acapulco en el total recuerdo de lo que algún día fue. Está de sobra decir que lo que algún día fue el motor económico de esta ciudad sigue estando en crisis.

Esto nos lleva a que uno se pregunte: ¿es posible reposicionar un destino turístico en decadencia? Y de ser así, ¿cómo se hace hago? ¿Qué puedo hacer yo, para contribuir a su progreso?

Es aquí donde te invito a que reflexiones y descubras estrategias innovadoras que han sido implementadas en otras marcas-ciudad alrededor del mundo, con resultados positivos.

De hecho, se conoce que los cambios aplicados mejoraron la experiencia de sus visitantes, y contribuyeron a atraer nuevos, así como a cambiar la percepción de la imagen de la ciudad.

A continuación, verás la lista de estas innovaciones que te voy a compartir, para que las tengas presente, y posteriormente las repasemos juntos, una a una:

1. *Smart cities* – este término se conoce en español como ciudades inteligentes
2. IoT - *Internet of the things,* traducido como el internet de las cosas
3. SEO – *Search Engine Optimization,* que sería el posicionamiento en buscadores de internet
4. CRM – *Customer Relationship Management,* que se entiende como el manejo de la relación con el cliente final
5. Redes Sociales – aquí te contaré de su uso como herramienta para reforzar la relación con el cliente final
6. Experiencia del cliente – estrategia que fomenta las relaciones a largo plazo entre una marca y su mercado meta.

Antes de continuar, es importante aclarar por qué en este texto se utiliza el término cliente en lugar de turista, viajero, o consumidor. El motivo es que la palabra cliente te ayudará a ver que estamos interactuando con una persona que además de hacer uso de nuestros servicios, tiene un compromiso que va desde la razón hacia lo emocional. Mismo motivo que nos permite venderle un helado a un esquimal. Vamos a definir entonces que el cliente es aquella persona que tiene una conexión con la marca a largo plazo, de aquí que nosotros, los prestadores de servicios, tengamos que alimentar la relación constantemente.

Ahora sí, aquí tienes un repaso de las innovaciones sugeridas para contribuir con el reposicionamiento de una marca-ciudad, manteniendo una mente abierta y visionaria, que traerá como consecuencia la contribución a la reactivación de la economía de un destino que vive del servicio:

Estrategia #1. *Smart cities.* Como se mencionó anteriormente, en español este término se conoce como las ciudades inteligentes, y hace referencia a las ciudades que buscan el progreso de su sociedad, así como la creación de cualidades atractivas basadas en la disrupción.

Es relevante mencionar que en la mayoría de las ocasiones el gobierno de una localidad sirve más como facilitador, que como total responsable de los avances. Esto es porque la iniciativa privada junto a las asociaciones civiles propone un proyecto y lo pone en marcha tras lograr conectar esfuerzos, para después obtener permisos y apoyo de las autoridades.

Un ejemplo de ciudad inteligente en México es la ciudad de Tequila en Jalisco, que está certificada como tal por la Sociedad Estatal de Gestión de la Información y las Tecnologías Turísticas de España, tras destacar, entre otras innovaciones, por proveer un servicio de conexión a internet gratuito en su centro histórico, fomentando así el uso de su app móvil, la cual ofrece una guía de los puntos turísticos imperdibles por visitar y números de emergencia.

Es importante que conozcas que una ciudad inteligente va de la mano con la sustentabilidad, es decir, una ciudad inteligente también fomenta la adecuada movilidad, el ahorro de energía, la disminución de la contaminación acústica, y la creación de espacios públicos con áreas verdes, el reciclaje, reducción del uso de papel, optimizar el consumo de agua, además de promover el mantenimiento de los automóviles para reducir la emisión de gases que provoque un efecto invernadero. Es decir, siempre en la búsqueda del equilibrio social, económico, y ambiental.

Un ejemplo a gran escala es Singapur, ciudad futurista considerara un laboratorio por excelencia en lo que a *smart cities* se refiere. Además de contar con internet gratuito de alta velocidad por la ciudad, permite el registro de los visitantes para conocer su comportamiento y sus gustos, tras analizar su desplazamiento y preferencias compartidas previamente con consentimiento, lo que ayuda a crear patrones de comportamiento que serán analizados para diseñar rutas de visita ideales para ofrecer a otros visitantes. También cuenta con su app de movilidad implementada, que ha logrado incrementar la reducción del tráfico y la conglomeración en espacios públicos, y es que tanto los visitantes como los habitantes pueden co-habitar al saber qué lugares es más conveniente visitar, a qué hora, y cómo llegar a ellos.

Aquí me voy a detener, pues quisiera que conozcas un poco más de la evolución de Singapur, y visualices cómo pasó de ser una ciudad en pobreza absoluta a una nación líder en tecnología, turismo, y ciencia.

Todo inicia después de la independencia de Malasia en 1963. Tras este hecho, la industrialización y el rubro de servicios tomó fuerza, pues se crearon sectores industriales que dieron empleo a miles de personas, para después exportar toda la producción al mundo entero. Ya con dinero en circulación, apostaron por desarrollar un centro financiero en la época de los 90, y fomentaron la inversión en la población. Por su parte, el sector educativo se comprometió a desarrollar planes de estudio por competencias que sacaran lo mejor de cada uno de sus estudiantes. Mientras que el sector salud apostó por mejorar los hospitales y elevar el nivel de ejecución de su cuerpo médico. Igualmente, las familias contribuyeron con el compromiso de incentivar a los hijos a concluir sus estudios superiores, aprender idiomas que les ayudarán a concretar negocios con el extranjero, y desde luego a emprender. El gobierno, por su parte, estableció el aumento de salarios para tener una vida más equilibrada, además de establecer sanciones anticorrupción. Como consecuencia, todos crecieron al unísono, apostando a siempre dar lo mejor de sí para que la generación siguiente lo hiciera mejor, y la subsecuente lo perfeccionara. Esto los llevó a ser lo que es ahora; un destino atractivo, sustentable, seguro, limpio, con apertura al cambio, pero sobre todo con visión a la mejora continua.

Con lo anterior, en 2017, Singapur comenzó su campaña turística «SG, pasión hecha realidad», con la que promueven a esta marca-ciudad a través de imágenes y videos contando historias de éxito de sus artesanos, microempresarios, profesionistas, y hombres de negocios que contribuyeron con su granito de arena en la conversión de esta ciudad futurista ejemplar.

Todo esto que te cuento es solamente la punta del iceberg, pues no me alcanzarían unos cuántos párrafos para narrarte la serie de innovaciones tecnológicas que hoy en día se usan en esta ciudad, pero es también mi intención dejarte intrigado, pues con estas palabras busco inspirarte para que puedas investigar más y desarrolles tus propias ideas que contribuyan al progreso de tu ciudad o localidad.

Estrategia #2. IoT - *Internet of the things.* Traducido al español como el internet de las cosas, este término hace referencia al uso de dispositivos electrónicos conectados a la red de comunicación mundial, el internet, con los datos colectivos generados por los mismos dispositivos para la solución de problemas. El internet de las cosas brinda la facilidad de automatizar y por ende agilizar procesos, pero lo más importante es que nos permite desarrollar una personalización en el servicio.

Gracias a lo anterior, los hoteles, restaurantes, y establecimientos de servicios pueden optimizar el uso de sus energías, e incluso podrían alertar al personal del estado de ansiedad de los pasajeros en un avión, por ejemplo. Además, actualmente se tiene el cálculo de que ya casi el 70% de las empresas

líderes en la hospitalidad utilizan estos asistentes para facilitar tareas simples en hoteles, como el encendido de luz, o
el cerrado o apertura de ventanas y puertas a través de otro
dispositivo a distancia. Otro ejemplo es la colocación de estos
asistentes de voz en aeropuertos o puntos estratégicos en Europa a lo largo de una ciudad, con mapas interactivos, videos
informativos, e incluso el envío de extractos específicos de esta
información vía correo electrónico. Las ventajas evidentemente
son las de ofrecer un servicio las 24 horas; las respuestas son
concretas y organizadas, se puede repetir cuantas veces sean
necesarias sin que exista el fastidio o cansancio por parte de
quien responde. La experiencia es tan personalizada como el
creador lo permita, y es por tanto considerada una experiencia
central del cliente, pues él es lo único importante dentro de la
interacción.

En la mayoría de las aerolíneas, el registro de vuelo o
check-in se puede hacer desde un par de días antes en tu teléfono móvil o computadora, para que únicamente llegues al
mostrador y deposites tu maleta. Sin embargo, en el caso de
British Airways, están comprometidos con la modernización
continua a base de la tecnología, y ahora en el Aeropuerto de
Gatwick en el Reino Unido, simplemente llegas a un quiosco
digital para escanear tu boleto y entonces depositar tu equipaje, sin necesidad de la intervención de un humano. Las ventajas de esto son obviamente la confirmación de que el cliente
ya se encuentra en el aeropuerto, agilización y eficacia en la
experiencia del usuario, además, en caso de excederse en el
peso del equipaje, una pantalla indica el monto a pagar para
proceder, y este cobro se realiza únicamente por tarjeta de crédito o débito. Por otro lado, las bandas donde se depositan
las maletas están sincronizadas para la distribución correcta,
nuevamente sin la intervención de una persona. Y hablando de
aeropuertos, algunas aerolíneas ofrecen un mapa interactivo

que va marcando la ruta de vuelo con detalles de altitud, hora actual, clima, y hora estimada de llegada para mantener al cliente informado a todo momento, proporcionando así datos en tiempo real, acceso a internet e incluso se habla ya de que para el 2023 será permitido el uso de llamadas por teléfono móvil por un costo extra.

Un ejemplo más del internet de las cosas es el uso de realidades aumentadas en mapas a través de dispositivos móviles, con el uso de *apps*, como es el caso de Etips, que permite posicionar tu dispositivo en cierto panorama, indicándote el nombre del establecimiento, su giro (restaurante, biblioteca), e incluso te muestra puntos turísticos que no te deberías perder en tu visita a cierta ciudad.

Asimismo, el gobierno del Reino Unido durante tiempos de pandemia puso a disposición una app móvil que permitía a los ciudadanos recibir alertas en caso de haber visitado sitios donde alguien se hubiera reportado con síntomas de COVID-19, esto con la finalidad de realizar una revisión médica oportuna en caso de que alguien más se hubiera infectado con el virus, y acudir al aislamiento temprano para detener la propagación de este.

Estrategia #3. SEO – Search Engine Optimization. La efectividad de esta herramienta radica en lograr posicionar una marca en los primeros resultados de internet tras la búsqueda de un cierto producto o servicio. Se puede decir que, de forma estratégica, el SEO logra dar a conocer tu empresa para ponerla a tu servicio, aumentando así la interacción del cliente con tu página de internet; por ende, aumenta el tráfico de la misma y aumentas así las posibilidades de que conozcan quién eres, qué haces, y cómo lo haces.

Un ejemplo de esto es cuando te diriges a tu buscador, digamos Google, y escribes «tour por la Riviera Maya», entonces los resultados arrojados traerán un listado de proveedores de este servicio, que en la actualidad suelen ser Tripadvisor, Viator, Despegar.com, Expedia, o Booking.com. Lo que ocurre inmediatamente es que al dar clic en alguno de estos sitios web, tienes la oportunidad de ver todos los proveedores de servicio de tours en la Riviera Maya, sus costos, sus beneficios, y cualquier información adicional que ayude a convencerte de elegir al ideal. Aunque lo ideal sería que lograras posicionarte no dentro de la página de internet de un tercero, sino que a través del SEO puedas posicionar tu propia agencia de servicios entre los primeros 10 resultados tras la búsqueda. Dejándote como un referente en tu área. Simplemente imagina que eres un proveedor de excursiones en Cancún y, valiéndote del SEO, utilizas palabras clave, imágenes, y metalenguaje que te ayuden a aparecer en las primeras posiciones del buscador.

Digamos que tu empresa se llama «Agencia de Excursiones Maravilla», tienes entonces una página de internet que lleva un título, un subtítulo, una introducción, y una descripción con palabras que potencialmente utilizará el cliente al momento de realizar una búsqueda, pero, además, que el nombre de las imágenes y fotos de tu sitio llevan esas mismas palabras. Esto ya incrementa por mucho que tu agencia aparezca antes que muchas otras, ganando contra la competencia.

El beneficio principal del SEO es que, a diferencia de otras formas de publicidad, esta es prácticamente orgánica, es decir, natural, pues no tienes que pagar grandes sumas de dinero para acercarte a tu cliente; es prácticamente él quien te encontró al escribir las palabras que a ti te describen como experto en la materia que a tu cliente potencial le compete. En otras palabras, si tu cliente escribe en Google: «tour a las pirámides en Cancún», y tú tienes en tu descripción estas mismas palabras con una explicación clara, coherente, y sencilla, el mismo buscador podrá traducir que tú eres quien el cliente necesita y por consecuente tomará tu sitio, colocándolo entre las primeras opciones.

Aquí es importante no confundirse con la estrategia SEM – *Search Engine Marketing*, la cual requiere que pagues para aparecer en el apartado de Anuncios (Ads), tal como se muestra en la imagen:

Lo que tú quieres lograr con el SEO es que te acerque a tu cliente potencial, tras haber identificado las mismas palabras utilizadas en su búsqueda, y es por eso que debes ser muy cuidadoso con los encabezados, imágenes descriptivas, y metalenguaje (nombre de imágenes, íconos, y algoritmos ocultos) que tienes en tu sitio web para que coincidan de manera perfecta.

Estrategia #4. CRM – Customer Relationship Management. Esta es una herramienta de gestión de relación con los clientes que permite el manejo de bases de datos para conocer mejor a tu cliente y predecir su comportamiento.

Similar a todo lo anterior, el CRM permite la personalización del servicio, que es el inicio de la fidelización a tu marca, permitiéndote conocer mejor sus gustos, sus necesidades, y sus expectativas, y medir las tendencias del mercado. Todo esto te llevará a crear estrategias de marketing más precisas, a menor costo, y dirigidas a tu mercado meta.

En Francia se tiene el caso del Museo de Louvre. Aquí se lleva el control de los visitantes, se les invita a registrarse a su boletín mensual que llegará a través del correo electrónico, promociones, invitación a membresías, y confirmación de compra de boletos para eventos especiales. Todo lo anterior es convertido en datos, para ser medidos estadísticamente y crear patrones de conducta, que nuevamente te llevan a generar una mejor estrategia de marketing con el mínimo esfuerzo. Pueden entonces conocer qué tipo de exhibiciones son más atractivas para el público, o cuál es la obra de arte más atractiva en el momento, pero no solamente eso, pues también logran descifrar quién está interesado en el arte, su edad, su género, su profesión, e incluso a veces hasta su nacionalidad. Y digo a veces, pues en Europa hay algo llamado el GDPR (*General Data Protecction Regulation*) que además de proteger los datos de los clientes registrados, les da la flexibilidad de elegir qué información quieren compartir y cuál no, omitiendo datos primordialmente étnicos, geográficos, y de género.

En concordancia con todo lo anteriormente mencionado, el CRM puede desarrollarse a a través de sitios web, apps móviles, o en los quioscos de registro e información situados a lo largo del museo de Louvre.

Ahora bien, el CRM puede sonar sofisticado, sin embargo, no se necesita mucho dinero para poder implementarlo. Las pequeñas empresas pueden valerse de un registro en hojas de cálculo o con un poco de más soltura económica, a través de la creación de pequeños programas que permitan el registro de datos de sus clientes frecuentes para después discernir y procesar la información, para la toma de decisiones y la adecuación en los servicios ofrecidos.

El CRM entonces nos permite crear lazos fuertes con nuestros clientes, volviéndolos embajadores de nuestra marca, incrementa la satisfacción al hacerlos sentir comprendidos, también desarrolla fidelidad, y la propagación de nuestros servicios, sin costo adicional.

Un ejemplo más de CRM en la industria de servicios es con la cadena hotelera canadiense The Fairmont. Cuando te hospedas con ellos, te pedirán tu número de reservación y a partir de ahí todo es magia, pues saben tu nombre, el nombre de tus acompañantes, han acondicionado previamente la habitación con almohadas especiales en caso de tener alergia a las plumas de ganso, han dejado tus chocolates favoritos sobre la cama, y por si fuera poco ya saben tus alergias y preferencias alimenticias en todos sus restaurantes. ¿El resultado? Clientes frecuentes que siguen hospedándose en sus hoteles alrededor del mundo, ganando categorías que con los años los vuelven en VIP (*very important people*) para la cadena hotelera.

Estrategia #5. Redes Sociales. El internet ha traído entre sus grandes pilares a las redes sociales, las cuales nos permiten acercarnos a la gente que más apreciamos. Y, a la vez, de igual manera, nos ha permitido darle un uso comercial para estar cerca de las marcas que más amamos.

De acuerdo con datos extraídos de la página oficial de las Organización de las Naciones Unidas, en Noviembre 2022 ya estábamos casi cerca de los 8 billones de personas en el mundo, de las cuales más de 4 billones están conectadas a las redes sociales, según un estudio presentado por Hootsuite, que es la mayor plataforma para administrar redes sociales a nivel comercial en el mundo. Esto quiere decir que hay un mercado meta para tus servicios, y tu misión es detectarlo. Las redes sociales complementan la estrategia de relaciones públicas, pues permiten la interacción a tiempo real de otros clientes que han tenido experiencias contigo, y a través de ellas, te evalúan, te elogian, te critican, e influyen en la decisión de compra de otros. Lo positivo de todo esto es que está en tus manos responder positiva o negativamente a esta retroalimentación, afectando directamente a tu marca.

Entre los beneficios de las redes sociales está el dar a conocer tu marca, sus valores, y su identidad, disipar dudas, incrementar el interés hacia tus nuevos servicios, y reforzarte como referente en el área. La estrategia de redes sociales en la industria de servicios y hospitalidad tiene dos vertientes; la de publicar e interactuar con los clientes de manera pública, así como el manejo de respuestas por mensajes privados. También, las redes sociales nos permiten crear desafíos o *Challenges,* que invitan a jugar de manera interactiva con la marca para volverla tendencia, en muchas ocasiones valiéndose de un *hashtag* (#, ejemplo #TodosJuntos), de modo que la marca sale del antiguo concepto de seriedad para identificarse con su cliente potencial.

Entonces se puede decir que las redes sociales es una herramienta esencial en la nueva generación de marketing. Ya no basta con subir fotos y frases descriptivas, ahora las marcas deben reflejar su personalidad para crear su propia comunidad. Esto también se logra contando historias de personas involucradas, explicando procesos, y exponiendo valores que describan los principios y creencias de quién está detrás. Es lo que en marketing anteriormente se conocía como estrategia pull, y actualmente se le dice *inbound marketing.*

Un caso de éxito en redes sociales aplicable a una marca-ciudad con el uso de un hashtag es #InLoveWithSwitzerland, campaña desarrollada por el cuerpo de turismo de Suiza. La finalidad fue incentivar a los visitantes y residentes a generar contenido en sus redes sociales que sería compartido con personas que estuvieran interesadas en visitar la localidad y conocer, a través de testimonios reales, la belleza del lugar.

Aunque ellos fueron más allá, permitiendo que las fotos también pudieran ser subidas a la página web, volviéndolo una competencia, donde el premio ganador era un viaje a Suiza, pagado por el gobierno de este país.

Estrategia #6. Experiencia del cliente. En lo que respecta a la experiencia del cliente, los hoteleros son los expertos, y puedes encontrar ejemplos de esto en dos hoteles del Reino Unido; el Hilton Metropole en la ciudad de Brighton y Fairmont Savoy en Londres, respectivamente. En el primero se trata de una experiencia en su restaurante llamada: *Le petit chef around the world,* en donde una vez completada la orden de alimentos y bebidas con tu mesero, esta es enviada a la cocina principal, mientras la realidad virtual hace presencia en tu mesa a través de un chef miniatura que prepara tus alimentos frente a ti, de modo que podrás ver en detalle cómo corta las verduras hasta cómo mezcla los ingredientes para llegar a la finalización de tu platillo, el cual es llevado a tu mesa por un mesero que sale de la cocina al unísono con el chef virtual. Imagina entonces, ¿cómo te sentirías al ordenar un filete *mignon*, ver cómo se prepara frente a ti de manera animada, mientras en sincronía un conjunto de personas tras bambalinas tiene que terminar justo a tiempo y bajo los más altos estándares de calidad? ¿Acaso esto no contribuiría a concluir que tu experiencia sería extraordinaria?

Por su parte, el Savoy en conjunto con la marca Gucci crearon una suite que lleva el mismo nombre, que tiene por objeto ofrecer un decorado original con telas y adornos exclusivos que llevan una decoración acorde con una ambientación de luces y sonidos, según las preferencias del cliente que realizó la reservación; esto puede ir desde tus colores favoritos con sonidos de aves o instrumental, evocando así un ambiente alegre, fresco, y natural.

Bajo este contexto, cuando hablamos de experiencia del cliente, lo primero que pensamos es en el servicio que se brinda en un establecimiento o de manera virtual, y pasamos por alto que su existencia es también posible como estrategia de servicio en una ciudad.

Para la implementación de esta estrategia, necesitamos que los residentes, los empresarios, y los gobernantes estén comprometidos con la marca-ciudad, que, tras un claro entendimiento de los objetivos, opten por convicción ser la cara que reciba con afecto al grupo de visitantes, para volverlos clientes cautivos. Ejemplo de esto tenemos a Japón, país que, a pesar de tener una cultura reservada y silenciosa, son serviciales, amables, educados, y siempre dispuestos a ayudar, sin importar la barrera del idioma. En caso de que te pierdas en alguna ciudad japonesa, ten por seguro que, si te acercas a algún ciudadano, este te orientará y guiará, haciendo suyo el problema, para después solicitar, a manera de estafeta, ayuda a otro ciudadano que continuará con la orientación a lo largo del camino, dado que esto ya es parte del sistema de apoyo que brindan a todo extranjero. Japón es sin duda una nación que sabe representar la pasión por el servicio y la hospitalidad, pues reconocen que, gracias a sus clientes, ellos mantendrán activo el flujo económico. Todo esto, sin dejar de lado que la tecnología que ellos utilizan es un auxiliar de esta experiencia. En esta nación se pueden encontrar robots asistentes, apps móviles para encontrar puntos de interés, mejorar la movilidad, los tiempos, la seguridad, asistentes de voz a lo largo de la ciudad, estaciones digitales para pedir comida en los establecimientos de comida rápida y disminuir las líneas de espera en caja, y baños públicos con conexión a internet de alta velocidad para hacer más ameno tu paso por ese lugar.

La clave para sintonizar a los involucrados a una cultura de servicio es la concientización y el sentido de pertenencia. Como ciudadanos o miembros de una organización de servicios debemos sentir que pertenecemos a ese lugar y que existe una relación de afecto recíproco. Por ejemplo, Colombia se hizo famosa por su campaña «*Colombia es pasión*» dirigida a sus residentes, mientras desarrollaban una campaña para el turismo bajo el lema «*Colombia, el riesgo es que te quieras quedar*». Con esto se pretendió conseguir el nacionalismo afectivo, el compromiso por cuidar de su tierra como lo hacían por ellos mismos, mientras se buscaba cambiar la percepción de violencia que el resto del mundo tenía sobre este país. A través de estas campañas, se lograron resultados positivos, consiguiendo galardones internacionales, como el caso de Medellín, que ha sido reconocida por la UNESCO como una ciudad resiliente y creativa.

¿Y dónde queda Acapulco? Te has de preguntar.

Bueno, pues todo lo anterior nos lleva a analizar brevemente el caso de estudio propuesto al inicio, Acapulco.

Una forma efectiva sería la formación de una asociación civil en pro del cambio, uniendo a gente talentosa que se comprometiera a ayudarse unos con otros a manera de sinergia para empezar a mover los negocios locales, con patrocino de empresas más grandes, que a manera de cadena también se beneficiarían. Por otro lado, se puede organizar la siembra de árboles, el cuidado de la fauna marina, la limpieza de sus playas, y el mantenimiento para la prevención de emisión de gases nocivos en automóviles y barcos. Todo esto mientras los adultos se enfocarán también en la educación integral de sus hijos, aprendizaje de idiomas, actividades artísticas, la salud mental, y el desarrollo de habilidades técnicas.

Imagina por un segundo que los vecinos decidieran organizar sus casas, limpiar sus calles, y leer dos libros al mes. Habría una diferencia inicial, ¿cierto?

Lo anterior no es una fórmula, pero sí pretende ser una convocación a que te inspires y comiences a pensar que desde donde tú estás puedes marcar una pauta e iniciar la diferencia.

Acapulco necesita trabajo en equipo, organización dentro de la sociedad para con los dirigentes, y una comunicación puntual con argumentos, planificada por gente con visión a largo plazo, que considere la pronta remodelación del Aeropuerto Internacional de Acapulco, que en la actualidad cuenta únicamente con cinco hangares, y unas reducidas salas de espera.

Por otro lado, Acapulco puede dar pequeños pasos para iniciarse en el camino de una ciudad inteligente, si sus mismos ciudadanos se atrevieran a ser innovadores y decidieran desarrollar *apps* móviles que ayuden de forma gratuita a los visitantes y otros residentes. Así como los pequeños negocios pueden comenzar por desarrollar sitios web que acerquen su marca a los clientes potenciales, antes de su llegada. O ¿por qué no? Empezar a ser respetuosos, evitar tirar basura en la calle, cambiar un foco y pintar las paredes de las avenidas principales. Con todo esto, quisiera reiterar mi invitación a que lleves presente que la innovación inicia con cambiar la actitud para dejar los viejos hábitos atrás.

EXPERIENCIA DEL CLIENTE (CX)

Araceli Meza

Semblanza: Araceli es una apasionada por la experiencia del cliente, servicio al cliente, liderazgo y estrategia. Es cofundadora de CXGO, fue jueza en los Customer Experience World Games y también en la edición CXWG Latam en 2021. Cuenta con 18 años de experiencia en diferentes áreas relacionadas con producto, mercadotecnia, operaciones, calidad y atención al cliente en instituciones de TI, servicios, *retail*, seguros y finanzas.

Actualmente es *chief customer officer* en GBM. Cuenta con 12 años de experiencia como docente de licenciatura y maestría. Es conferencista sobre temas relacionados con la experiencia del cliente, servicio al cliente y liderazgo, creadora del método RIA y Código 7 para alcanzar el éxito, y coautora del libro *Mujeres inspirando Mujeres - Desarrollo Profesional*.

Intención: Centrarte en mejorar la experiencia de tus clientes es la mejor (y yo diría única) apuesta para lograr una verdadera diferenciación. Para ello, la experiencia del cliente debe ser entendida como un ecosistema que integra marca, colaboradores, servicios y procesos. Todo lo que realiza la empresa debe orbitar alrededor de sus clientes. Las experiencias resultantes dentro de ese ecosistema pueden favorecer o entorpecer los resultados de los objetivos estratégicos.

En este capítulo quiero compartir contigo parte de las cosas que he aprendido a lo largo de mi carrera en el enriquecedor y apasionante mundo del servicio y experiencia del cliente. Conocer los 7 enemigos de la experiencia del cliente te permitirá no cometer errores que puedan impactar de manera negativa en tus clientes, colaboradores y la misma empresa.

LOS 7 ENEMIGOS DE LA EXPERIENCIA DEL CLIENTE

66

«Un principio en la experiencia del cliente es nunca olvidar que la empresa trabaja con personas para personas.»

— **Araceli Meza**

99

Introducción

¿Cuántas empresas conoces que están obsesionadas con replicar el modelo de las más exitosas del mundo, como Amazon, Apple, Starbucks, Netflix, Uber o American Express? Seguramente tu respuesta es «muchas» o «quién no quisiera ser tan exitoso como ellas, con ventas millonarias y un crecimiento imparable». Sin embargo, no logran consolidarse o mantenerse como los grandes a pesar de su genuino deseo por convertirse en uno de ellos, contratar al mejor talento (incluso de estas mismas empresas) e invertir millones en tecnología.

¿Qué tienen en común las empresas que lo han intentado y siguen intentando sin éxito? La respuesta es simple: están enfocando su estrategia en la generación de ventas, la rentabilidad y el crecimiento. Seguramente en este momento me preguntarás: «pero ¿acaso no es eso lo que buscamos todas las empresas?». Mi respuesta es sí, siempre y cuando en cada una de las decisiones que se tomen, en cada objetivo, estrategia o proceso esté el cliente en el centro.

Cuando estudias a todas estas empresas exitosas te das cuenta que el común denominador entre ellas, eso que se repite una y otra vez, es su enfoque en la experiencia del cliente, porque saben que los clientes satisfechos se convierten en clientes rentables, que a su vez serán embajadores de marca, dando longevidad al negocio y mayores ingresos. Invertir en la experiencia del cliente debe ser una prioridad no negociable en las empresas. Y como las estadísticas matan a la palabra, te comparto cinco datos interesantes:

- El **89% de las empresas** ahora **compiten por el nivel de la experiencia del cliente** en lugar de solo en productos y servicios (Gartner).
- Las **empresas** estadounidenses **pierden 1.6 billones de dólares por clientes que cambiaron** de marca **debido a una mala experiencia** (Accenture).
- Las **empresas líderes en experiencia del cliente superan** a las más rezagadas en CX **en casi un 80%** (Qualtrics).
- Más de **dos tercios de las empresas con ingresos crecientes dan prioridad a la satisfacción del cliente**, en comparación con solo el 49% de las empresas con ingresos estancados o decrecientes (Neil Patel).
- El 65% de los clientes estadounidenses piensa que **una experiencia positiva con una empresa es más influyente que la publicidad estelar** (PWC).

En este capítulo no te compartiré las claves del éxito al diseñar la experiencia del cliente, sino que hablaré de los 7 enemigos de la experiencia del cliente, porque a veces la mejor forma de hacer algo bien es aprendiendo cómo no hacerlo mal. Quizás alguno de los puntos que te planteo te parezcan evidentes, pero, como ocurre siempre, lo obvio no siempre lo fue sino hasta que fue descubierto.

Espero que al mostrarte los 7 enemigos de la experiencia del cliente no caigas en sus manos, que tengas claro lo que no se debe hacer y evites perder talento, dinero y, sobre todo, clientes.

Los 7 enemigos de la experiencia del cliente

Actualmente al pensar en *empresa* es inevitable pensar en *incertidumbre*, ya que todas están inmersas en una dinámica de constantes cambios que las ponen de cabeza, derivado de la velocidad a la que cambia la tecnología y se incrementa el nivel de exigencia de los clientes. Con la incertidumbre, el error se convierte en el día a día de los ejecutivos, en una búsqueda incansable de diseñar la mejor estrategia que permita posicionarse como líder o al menos mantenerse vigente en el mercado. Nadie está exento de equivocarse, pero como siempre le digo a mi equipo, lo inexcusable es no aprender de los errores. Nuestra obligación como líderes, directores o ejecutivos es capitalizar el error.

Por ello me di a la tarea de identificar los principales enemigos de la experiencia del cliente, aquellos errores que más se repiten al diseñarla y gestionarla. Quiero evitar que otras empresas o ejecutivos tropiecen con la misma piedra en el camino y esto resulte en pérdidas monetarias, años de atraso en sus iniciativas o, lo que es peor, un colapso y cierre de las mismas.

1. Ver la experiencia del cliente como una estrategia y no como cultura

«64% de las empresas con un CEO enfocado en el cliente son más rentables que sus competidores.»

(Forbes)

El principio por el que las empresas fracasan al diseñar o gestionar la experiencia del cliente es porque CX no forma parte de su ADN. No es suficiente el deseo de tener un área de experiencia del cliente o enviar encuestas para escucharlos, es indispensable que el CEO esté convencido de que apostar por la experiencia del cliente es la única manera de diferenciarse en el mercado y tener un crecimiento sostenible y rentable.

Para ejemplificarlo, tomemos un centro de atención que para muchas organizaciones representa un centro de costos o un «mal necesario». Sin embargo, Zappos logró transformarlo en un verdadero centro de valor, gracias a un cambio radical a nivel organizacional que solo fue posible con el apoyo del CEO y una adecuada cultura corporativa centrada en el cliente.

La experiencia del cliente no es responsabilidad de las áreas que interactúan directamente con ellos, sino de todas y cada una de las áreas que conforman a la empresa, iniciando por el CEO. Delegar la carga de responsabilidad sobre la experiencia del cliente a áreas de servicio o comerciales es muy común en todo tipo de organizaciones, sin embargo, está principalmente más arraigada en empresas centradas en producto, procesos o que están intentando pasar de lo tradicional a lo digital sin considerar al cliente, como forma de agregar valor a su oferta, en una búsqueda desesperada por diferenciarse rápidamente en el mercado o reducir costos. Ver la experiencia del cliente como una estrategia y no como cultura es un enemigo muy peligroso, ya que la experiencia del cliente no vive en un vacío controlado, como lo hacen las estrategias. Para que la experiencia del cliente sea exitosa el contexto lo es todo, y la cultura dentro de la empresa y la experiencia diaria de los colaboradores tienen una gran influencia.

Toda experiencia extraordinaria comienza con una cultura obsesionada con el cliente. Por ejemplo, Amazon hace de su «obsesión por el cliente» el principio para la definición de sus estrategias. Es importante mencionar que no es suficiente integrar la obsesión del cliente en tu visión y estrategias. La cultura es clave para asegurarte de que todos (incluyendo al CEO) conozcan, vivan y respiren su visión de relación con el cliente.

Hay que recordar que la cultura de una empresa tiene que ver con su carácter y personalidad, es decir, es la suma de todos los comportamientos de las personas que la integran, incluso cuando no están siendo observados. La cultura, al igual que la experiencia del cliente, es construida por todos los miembros de la organización con hechos y comportamientos cotidianos. La cultura centrada en el cliente debe dejar clara, con palabras sencillas, pero sobre todo con hechos y comportamientos, la esencia (quién), su propósito (por qué) y su visión futura (a dónde).

Recuerda, **una buena estrategia de experiencia del cliente puede no ser eficaz si los comportamientos de las personas no son adecuados, de este modo entonces los resultados esperados no aparecerán.**

2. **Enfocar la visión en resultados a corto plazo por encima de una visión a largo plazo**

«Deja de preocuparte por los altibajos empresariales a corto plazo y céntrate en crear una empresa sólida y viable a largo plazo. Un enfoque de dirección demasiado centrado en el corto plazo hace que los directivos no sean muy eficientes.»

(Warren Buffet)

Antes de empezar con este punto me gustaría preguntarte: ¿en qué escuela de negocios se aprende que para lograr el éxito de una empresa debemos fijarnos solo en los resultados a corto plazo? En ninguna, ¿verdad? Entonces, ¿por qué lo hacemos? ¿De verdad alguien puede pensar que ante lo demandante y cambiante del entorno al que se enfrentan hoy las empresas, lleno de competidores que corren a más velocidad y con una visión clara centrada en el cliente, el tan solo reaccionar al momento (corto plazo) nos posicionará como líderes en el mercado? Claro, para algunos la meta únicamente es «el partido de hoy», sin entrenamientos previos y sin cuidar de que lleguemos a más partidos.

El segundo enemigo de la experiencia del cliente es cuando la visión de la empresa está en el corto plazo porque se cometen muchos errores que nos cuestan caros. Uno de ellos tiene que ver con la pérdida de sensibilidad respecto a los clientes. La cultura organizacional se vuelve más autoritaria, ya que los resultados a corto plazo no se pueden hacer esperar y, por lo tanto, todas las estrategias dejan de lado al cliente.

La visión a corto plazo solo es recomendable en una situación de crisis importante. Por ejemplo, imagina que el barco en el que viajas se está hundiendo. En ese momento debes enfocarte en alguna estrategia para evitar que el barco se hunda antes de planificar cuál será el siguiente rumbo. El reto es convencer a los empresarios, CEO y directores de que los barcos que ven hundiéndose todos los días son creados por su subconsciente y que debemos mantenernos en la visión a largo plazo. El cortoplacismo es el cáncer de las empresas actualmente.

Retomando las empresas exitosas que todos quieren ser, recordemos que Amazon comenzó a ganar dinero después de 7 años de ser creada. Bezos, fundador y CEO, dice «Todo se trata del largo plazo». La visión a largo plazo requiere que la empresa confíe en su filosofía, se mantenga firme y no se inmute ante la presión de los analistas por los resultados trimestrales, ya que, de lo contrario, puedes tomar decisiones precipitadas e impactar de manera negativa en la experiencia del cliente. Steve Jobs, y ahora Tim Cook, muestran una despreocupación similar por el corto plazo en Apple.

La gestión de la experiencia del cliente no está exenta del peligro de una visión cortoplacista. Por ejemplo, definir una experiencia extraordinaria como la sensación de deslumbramiento provoca una creencia errónea sobre que se requiere una gran inversión para brindar una buena experiencia al cliente. Desde mi punto de vista, esta perspectiva se basa en un pensamiento cortoplacista, ya que considera la experiencia como un evento aislado o la suma de varios y por ello se hace costosa. Conceptos como este provocan que en tiempos de crisis, en donde generalmente el presupuesto es limitado o nulo y la única salida es el recorte, no sea posible dar una experiencia extraordinaria y se entra en un bucle infinito de todo o nada.

Quizás la primera pregunta a hacernos es ¿cuál es la experiencia que espera nuestro cliente?. Tal vez no sea necesario realizar grandes inversiones, desplegar la alfombra roja o brindar una atención exclusiva. A veces solo basta con la construcción sostenible de un viaje que sea honesto, fácil de recorrer y pensado para él.

Todo ello es independiente al presupuesto asignado a producto, *marketing*, promoción o servicio al cliente. Tiene que ver con una decisión de la dirección general, un camino a seguir que se traslada a lo humano. Toda la empresa debe tener claro que la experiencia WOW es efímera y que, cuando hablamos de la experiencia del cliente, no es una, son muchas que deben sostenerse en el tiempo y crecer junto con las expectativas del cliente.

La visión cortoplacista se olvida pronto y su costo es alto, en cambio, la visión a largo plazo nos da la oportunidad de redefinirla, de conocer a nuestros clientes, de escuchar qué quieren en lugar de lo que nosotros pensamos

que quieren o les conviene. Además, nos da la posibilidad de redefinir la estrategia y construir un vínculo sólido y sostenible en el tiempo.

Si crees que estás sumergido en una visión cortoplacista, pregúntate: ¿es esta estrategia sostenible en el tiempo? ¿Genera valor a mis clientes? Es evidente que debes conocer quiénes son tus clientes y lo que esperan de ti. ¿Esta estrategia es rentable para la empresa a mediano o largo plazo?

En tiempos tan difíciles como los que vivimos en la actualidad, creo firmemente en la toma de decisiones estratégica más allá del corto plazo. Eso no quiere decir que la rapidez no deba existir, significa que el CEO y el equipo directivo deben saber lo que le conviene a la empresa para que sea sostenible en el tiempo y siempre estar enfocados en el cliente.

3. Te adueñas de la voz del cliente sin conocerlo ni escucharlo

«Cuando hablas solo repites lo que ya sabes, pero cuando escuchas, quizás aprendas algo nuevo.»

(Dalai Lama)

Todo lo que he aprendido a lo largo de mi vida lo he hecho siempre escuchando, leyendo o por la experiencia. Hablando no se aprende casi nada y no se logra nada. Cuando tienes una empresa o eres director y estás metido en la vorágine del día a día, escuchar parece una misión imposible. Sin embargo, el cliente debe ser el principal pilar de la empresa, ya que es el corazón de esta, de ahí la obligación de conocerlo y escucharlo. Detenerte y darte el tiempo de escuchar y entender puede ser el punto de inflexión para que tu marca sea adorada por tus clientes.

No hay nada más peligroso que el tercer enemigo de la experiencia de cliente, que es cuando te adueñas de la voz de tu cliente, cambias la misión y visión de la empresa, y defines estrategias sin conocerlos ni escucharlos. Las expectativas y el comportamiento de los clientes cambian constantemente, además, están rodeados de empresas que quieren que los elijan, de ahí la importancia de ponerlos en la mesa antes de tomar decisiones. De esta manera podrás transformar y adaptar tu negocio a la misma velocidad que tus clientes, e incluso no solo anticiparte a sus demandas, sino ir un paso delante de tus competidores. Para garantizar esa continua adaptación a sus necesidades, debes aprender cómo escucharlos y accionar para asegurarte de que tengan experiencias extraordinarias.

Cabe señalar que los clientes no esperan experiencias perfectas, pero sí que cuando su viaje contigo se complique seas capaz de solucionarlo y mantener un nivel de servicio extraordinario. Como siempre digo, al tener un plan A debes contar con un plan B por si el A falla, pero tu plan B siempre debe ser mejor que el A, porque si el A falló, debes asegurarte de que el B no lo haga.

De acuerdo con estudios realizados por Nielsen, el costo de ganar un cliente es cinco veces superior al de retenerlo. Sin embargo, las empresas pierden cada año, en promedio, el 10% de sus clientes. Retener y fidelizar a un cliente no solo es más barato que captarlo para atraer su dinero, sino que un cliente satisfecho aumentará su inversión en la empresa y, por ende, constituirá un crecimiento.

La experiencia del cliente debe ser parte de la cultura y estrategia organizacional, porque permite analizar hasta qué punto la oferta de valor empata con las expectativas del cliente. Asegurar una correcta correspondencia entre promesa y expectativa reducirá la tasa de cancelación, generará mayores ingresos y logrará un crecimiento sostenible para la empresa. Siempre debes recordar que el conocer, segmentar y empatizar con tus clientes hará que te adelantes a sus necesidades y desarrolles un negocio viable y rentable.

Para centrarte en el cliente debes cambiar tu mentalidad y dejar de pensar que la rentabilidad es resultado del precio, volumen y costos de brindar un servicio y reconocer que se trata del valor de la vida del cliente. Es hasta ese momento que inicias un camino que te obliga a escuchar más al cliente y no solo poner foco en la adquisición, sino en aprender a cómo mejorar su experiencia con tu producto o servicio. El conocer y escuchar genuinamente a tus clientes demandará la transformación de productos, procesos e incluso de personas, es decir, que hasta ese momento la empresa tomará conciencia de la relevancia del cliente y redefinirá sus acciones. Solo bajo este contexto estarás realmente gestionando la experiencia del cliente.

Debes entender que la experiencia es el elemento que va a hacer que en el futuro ese cliente sea quien te recomiende y empiece a generar menor sensibilidad ante el precio y ante tu competencia.

En la gestión de experiencia del cliente hay dos retos importantes: ahorrar costos y mejorar el retorno de inversión sin sacrificar la satisfacción. La voz del cliente va más allá de responder una encuesta, consiste en conocer quiénes son tus clientes, identificar cuáles son los valores e ideas que asocian con tu marca, cómo es su personalidad, escuchar y analizar sus opiniones, anhelos y expectativas, observar cómo es su viaje respecto a tu marca, producto, procesos y servicio a fin de tomar mejores decisiones para brindar experiencias extraordinarias y rentables. Si te adueñas de la voz del cliente, es muy probable que tu autopercepción sobre la empresa o producto no corresponda a la suya. Por ejemplo, puede que la empresa esté invirtiendo en un aspecto que tú propusiste y estás liderando, pero que no genera valor añadido. En ese caso, estás perdiendo la oportunidad de invertir en otro que sí produzca una mayor satisfacción en tus clientes.

El conocimiento y entendimiento del cliente no debe ni puede ser individual, tampoco debe quedarse como un proyecto a nivel directivo, en determinadas áreas o como un trabajo de escritorio. La voz del cliente es completamente transversal, debe implicar a todas las áreas y a cada uno de los puestos que tengan contacto con ella. Tan importante como esto es compartir la información no solo con el CEO. Si lo que pretendemos es cambiar y mejorar, cada miembro de la empresa debe tener acceso a las conclusiones para poder accionar.

Por último, es importante medir el riesgo y calcular el ROI de las diferentes acciones que surjan de analizar los datos recopilados. De esta manera, podrás tener un control sobre el rendimiento de los accionables y analizar si tiene impacto o no en los indicadores de negocio, NPS y en la mejora de la experiencia de cliente en general.

Recuerda: tú no eres tu cliente, sus necesidades y expectativas son diferentes a las tuyas.

4. Mentalidad de silo

«El 75% de los clientes desean experiencias consistentes, sin importar con qué departamento se estén comunicando. El 58% informa que se siente como si estuvieran interactuando con departamentos separados y no con una sola empresa.»

(Medallia)

Solo con escuchar la palabra *silo* se me eriza la piel, y no es para menos, ya que tener una mentalidad de silo es el cuarto enemigo de la experiencia del cliente. Dando un poco de contexto, cuando hablamos de silos nos referimos a los grandes edificios de almacenamiento de grano, y «la mentalidad de silo» se utiliza como metáfora para describir el comportamiento de las empresas donde las diferentes áreas o individuos trabajan de forma aislada e independiente.

En el caso de la gestión de la experiencia del cliente es muy riesgoso, ya que toda la información sobre los clientes estaría acumulada y no se comunicaría adecuadamente con los demás departamentos, sería como manejar tu auto con los ojos vendados. Esta mentalidad puede afectar a la empresa sin importar el tamaño o sector, y puede plantear más problemas de los que te imaginas. Por ejemplo, puede ser que hayas realizado la contratación del año con un director que sabe como convertirte en un referente en el sector, pero, aun cuando sea el más experto, si trabaja con una mentalidad de silo, impedirá que la empresa logre sus objetivos a largo plazo, disminuirá la moral de los colaboradores e impactará de manera negativa en los clientes. Si al leer este capítulo te das cuenta de que tú o tu empresa trabaja en silo, es momento de cambiar, pues es un hecho que la reducción de la eficiencia, el bajo rendimiento en general y la resistencia al cambio te acechan.

La mentalidad de silo no solo afecta a los productos, servicios y colaboradores, sino que también tiene dos efectos externos:

- Redundancias: se da cuando los equipos con mentalidad de silo se encargan de funciones que se solapan, lo que suele producir redundancias que resultan frustrantes para el cliente y merman su experiencia.

- Agujeros: es muy común cuando los equipos no se ponen de acuerdo sobre quién es el dueño del problema, no se tiene propiedad sobre el mismo y ninguno lo resuelve. Como resultado, los clientes reciben productos con fallas recurrentes, sin información, con instrucciones no claras o funcionalidades que no necesitaban.

Ambos efectos influyen significativamente en la experiencia y, con el tiempo, pueden suponer una pérdida de clientes y, por ende, de ingresos.

Aunque la mentalidad de silo puede darse en cualquier tipo de empresa, es más común en aquellas familiares o de grandes corporativos debido a los retos inherentes por el tipo de comunicación con los empleados o toma de decisiones. La mentalidad de silo puede ser el resultado de directivos competitivos, de una gestión conflictiva o de una visión sin estrategia (estrecha). Aun cuando la mentalidad de silo es un reto específico para los directivos de alto nivel en la empresa, los efectos y consecuencias impactan a los colaboradores de manera individual.

Seguramente te preguntas: ¿cómo puedo contrarrestar la mentalidad de silo? Para hacerlo requieres de promover una mejor comunicación y conexión de manera individual entre los colaboradores, las áreas y la empresa. Debes sensibilizar a los colaboradores sobre cómo evitar este tipo de mentalidad, ya que todas las personas que integran la empresa, desde los altos ejecutivos hasta los colaboradores de primera línea, pueden prevenirla y contrarrestarla desde su trinchera.

Cuando logras que los equipos ejecutivos estén plenamente comprometidos, con una visión alineada, ellos darán el ejemplo a sus mandos medios y fomentarán el trabajo en equipo, la confianza interdepartamental, la colaboración, cocreación y la capacitación de todos los colaboradores. La única manera de que cada colaborador trabaje para alcanzar metas comunes es logrando que todos los líderes estén alineados con las metas a corto y largo plazo.

Es muy importante que los colaboradores participen en la creación de la visión y el establecimiento de los objetivos institucionales. De esta manera, será más fácil que cada uno de ellos sienta que su labor es valiosa y tenga muy claro cuál es el valor agregado que aporta a la empresa. Aun cuando los líderes tienen esta labor en sus manos, es importante que sus reportes directos entiendan claramente cómo su trabajo contribuye al éxito de la empresa. Recuerda que el trabajo en equipo te llevará más lejos. Reforzar la visión y los objetivos de la empresa frecuentemente ayuda a mantener a todos alineados y enfocados en la misma dirección.

Metodologías como *design thinking*, talleres de cocreación, dinámicas interdepartamentales y la capacitación constante proporcionan valiosas oportunidades para que los colaboradores trabajen de manera colaborativa y se fortalezca la relación entre ellos fuera de los patrones laborales normales. Lo anterior implica el rediseño de algunos procesos y procedimientos de desarrollo, así como los niveles de autorización de iniciativas o un esfuerzo de colaboración más formal, como los consejos o comités interdisciplinarios, todo ello vale la pena, ya que te permite aprovechar oportunidades, mejorar la toma de decisiones y la cocreación.

Ojo, no siempre es factible romper organigramas jerárquicos, pero sí es importante:

- Potencializar la ejecución de iniciativas o áreas transversales, principalmente aquellas relacionadas con la gestión de la experiencia del cliente, es decir, mejoras concretas sobre el viaje del cliente.

- Transparencia. Es muy importante dar visibilidad a toda la empresa sobre los *quick-wins* que logremos a través de estas iniciativas, *es decir,* acciones a corto plazo dentro de un proyecto a largo plazo que pueden implementarse de forma rápida, sencilla y económica y con buenos resultados. Recuerda celebrar y procurar que todo el mundo se sienta parte de cada victoria.
- Crear *boards (paneles de control)* de colaboración. Esto te permitirá dar seguimiento a todas las iniciativas sin importar el área que la esté liderando, con un ojo puesto en métricas de experiencia del cliente y en KPI´s de negocio. Recuerda que lo que no se puede medir no se puede mejorar.
- Premiar la colaboración, no la competición.
- Cultivar la empatía entre los colaboradores y hacia los clientes.

La mentalidad de silo, por muy brillante que sea quien la promueve, repercute en una comunicación interna lenta o nula, burocracia, malas decisiones que impactan en el mediano o largo plazo y una marcada falta de empatía entre sus colaboradores, hacia la empresa y los clientes.

5. Olvidar que el motor de la empresa son personas que trabajan para personas

> *«Una buena experiencia del empleado, suele reducir la rotación, duplicar la satisfacción de su cliente, la innovación y aumenta sus utilidades un 25%.»*

> *(AMEC)*

El quinto enemigo de la experiencia del cliente es olvidar que el motor de las empresas son sus colaboradores. En el artículo «Putting the Service-Profit Chain to Work», de la *Harvard Business Review*, demostraron que existe un fuerte vínculo entre la satisfacción, lealtad y productividad de los empleados y la satisfacción de la experiencia del cliente y el valor percibido. Parece lógico pensar que, si queremos ofrecer una experiencia del cliente extraordinaria, debemos ofrecer una mejor experiencia a nuestros colaboradores desde el inicio de su relación con la empresa.

Los colaboradores no solo deben estar capacitados y motivados para ofrecer la mejor experiencia posible al cliente, sino que deben tener un deseo intrínseco y genuino de hacerlo. Cuando la empresa se olvida de la experiencia del colaborador existe una disociación en muchos aspectos que generalmente termina en una mala experiencia o productos de mala calidad. Si la empresa no tiene el compromiso de los colaboradores como algo prioritario, entonces es seguro que tendrá dificultades para impulsar y promover una cultura centrada en el cliente. Todo se encadena de manera simbiótica cíclica: colaboradores felices, clientes más satisfechos.

El estudio realizado por IBM, *The Financial Impact of a Positive Employee Experience*, mostró que las organizaciones que obtuvieron puntajes en el 25% superior en una clasificación de experiencia de los empleados en realidad tenían el doble de retorno sobre los ingresos por ventas en comparación con las organizaciones en el cuartil inferior. De ahí la relevancia de crear una cultura no solo centrada en el cliente, sino también que reconozca el valor de los colaboradores como si de ellos dependiera su futuro y el mantenerse en el mercado.

Una encuesta realizada por Gallup arrojó que los colaboradores felices son la base para crear clientes felices, sin embargo, la felicidad no garantiza los mejores resultados a nivel negocio. Ante esto es evidente que no puedes abordar la experiencia del cliente como silo, dejando de lado otras experiencias que también impactan en el resultado de negocio. No importa el nivel jerárquico de tus colaboradores, la clave está en que todos entiendan perfectamente quiénes son tus clientes y cómo agregan valor para ellos. Esto evoluciona la manera de abordar sus retos del día a día, cómo conectar con los clientes y cómo generar un sentido de pertenencia con la misión de la misma.

Dejando muy claro que la responsabilidad de la experiencia del cliente es de todos, será más fácil realizar estrategias específicas para los diferentes segmentos de clientes a los que van dirigidos, de la mano de todos los colaboradores de la empresa. Esto nos recuerda el punto uno de este capítulo, ya que, al conocer, desarrollar y aplicar una cultura centrada en el cliente, en donde cada vez más se empodere a los colaboradores para crear experiencias innovadoras y extraordinarias, hay más probabilidad de que se logre un verdadero enfoque en el cliente.

Según Temkin Group, el 74% de los profesionales de recursos humanos se están enfocando en una cultura centrada en el cliente, y el 69% en el *engagement* (nivel de compromiso) de los empleados. La actitud también se ve impactada por la personalidad y el profesionalismo de los colaboradores, por lo que el *engagement* de los mismos afecta en la interacción con los clientes. El área de RR. HH. es fundamental para desarrollar un buen entorno, donde la experiencia del cliente sea prioritaria en el día a día de cada una de las personas que integran la empresa.

Para tener clientes comprometidos con la marca es imprescindible primero tener colaboradores comprometidos con la empresa que transmitan los valores de la compañía y la pasión necesaria al cliente. Te comparto algunos ejemplos de cómo el común denominador de las marcas líderes mundiales es enfocarse en la experiencia del colaborador:

- «El componente más importante de nuestra marca es el empleado. La gente ha creado la magia. La gente ha creado la experiencia.» (Howard Schultz- Starbucks)
- «Somos señoras y caballeros que sirven a señoras y caballeros.» (Ritz Carlton)
- «Cuida a tus colaboradores que ellos cuidarán de tus clientes.» (Richard Branson-Virgin)

Mantener a los clientes felices depende del compromiso del colaborador. El motor son personas que trabajan para personas. Cuando concibes la experiencia del colaborador y del cliente como dos caras de la misma moneda, los beneficios que obtienes son ilimitados.

6. La mejor experiencia que nunca inicia

«El 91% de las empresas dijeron que aspiraban a liderar el segmento de customer experience dentro de su sector, pero solo el 37% había tomado iniciativas formales sobre CX.»

(Forbes)

¿Alguna vez has escuchado el término «parálisis por análisis»? La primera vez que lo escuché fue gracias a Migue (él es parte de mi *equipo de experiencia del cliente*) y me resonó mucho porque es más común de lo que pensamos en las empresas, áreas y ejecutivos.

Seguro la situación que te voy a plantear te resulta familiar: haz contratado al mejor talento, recopilan data que ni tú sabías que existía en la empresa, preparan la mejor presentación ejecutiva con un plan que logrará posicionarte como líder en tu sector, pero (sí, hay un *pero*, era demasiado perfecto para ser verdad) entonces empiezan a darle vueltas y vueltas, mejoran la presentación, vuelven a analizar la información, incluso recopilan más data para integrarla y vuelven a mejorarlo, así hasta convertirse en un bucle infinito en el que nunca ves el momento de poner en marcha ese plan perfecto. Entras en una dinámica de analizar, replanificar, incluso reestructurar y ampliar el plan. Son tantas las decisiones que toman y tanta la información a analizar que se bloquean y no hacen nada.

Así es como te enfrentas al sexto enemigo: la mejor experiencia que nunca inicia. Pero ¿por qué sucede esto? Porque la data es dinámica y siempre puedes tener más información, todo se puede mejorar, pero de nada sirve tener la mejor estrategia si nunca se pone en marcha para saber si funciona, y si no funciona, para mejorarla en el camino.

Una idea sin acción no vale nada, tienes que accionar para lograr resultados. Es posible que no se tomen acciones por miedo al error o a perder dinero, sin embargo, todo en la vida tiene un costo de oportunidad, incluso el no hacer nada te está costando algo. Créeme, darle vueltas y vueltas sin tomar acción solo se convertirá en una oportunidad perdida porque lo único que no podemos recuperar es el tiempo, y, pasado el tiempo, de nada sirve tener el plan perfecto si no se lleva a cabo en el momento perfecto. No te quedes sin capacidad de reacción, mejor actúa y, si algo no funciona, corrígelo en el camino.

Todo en exceso es malo, y el exceso de información también lo es porque te lleva a un círculo vicioso de analizar sin medida y sin fin. Ojo, esto no significa que no analices antes de tomar decisiones, por supuesto que antes de tomar cualquier decisión debes realizar un análisis, lo que quiero transmitirte es que no puedes quedarte en ese paso sin tomar decisiones y mucho menos sin accionar.

El exceso de información es un riesgo porque abre tantas variables y temas que no es posible enfocarte en uno y solo consigues distraerte. Por ejemplo, en mis clases de investigación de mercados, siempre les digo a mis alumnos que tengan cuidado porque durante su investigación van a encontrar un mundo de información que los distraerá y les hará perder tiempo, por ello, siempre deben tener muy claros cuáles son sus objetivos y, antes de invertir tiempo en algún dato interesante, deben preguntarse si esa información es relevante para resolverlos. Si la respuesta es no, entonces guárdenla para otro momento y solo hagan uso de la que sí es de utilidad. De esta manera no agotan esfuerzos ni energía y no perderán la capacidad de llevar a cabo lo que tienen que hacer.

Te sugiero que hagas un análisis del costo-beneficio de no hacer nada y de hacerlo aunque no salga perfecto. ¿El beneficio de la segunda opción es mayor al de la primera? No. Un análisis y una planificación excesiva no garantizan ningún resultado, ninguno.

Tomar decisiones no es fácil porque te confronta con tus miedos y puede conllevar a problemas, pero el no hacer nada y quedarte en el análisis solo te paraliza y no te llevará a ningún lado.

Si actualmente estás paralizado por analizar, debes tener claro que una decisión siempre va a conllevar un riesgo, más aún cuando hablamos de experiencia del cliente, porque sus necesidades, comportamientos y expectativas cambian constantemente, sin embargo, debes asumir esa incertidumbre y tomar acción sobre las cosas que sabes que hoy no funcionan y que mejorarán esta experiencia. No permitas que la parálisis por análisis se adueñe de ti, toma acción sobre los *pain points (puntos de dolor)* de tus clientes, corrige lo que no esté bien y asegúrate de brindar experiencias extraordinarias.

7. Digitalización sin humanización

«El 86% de los usuarios espera que los chatbots siempre tengan la opción de transferir a un agente en vivo.»

(Aspect)

Hoy en día todo el mundo habla sobre la digitalización, a tal grado que podríamos considerarla como el fetiche de los negocios. La velocidad con la que cambia el mercado y las altas exigencias de los clientes han hecho que la digitalización de los procesos sea un no negociable dentro de las empresas. «Digitalizarse o morir» parece ser el nuevo mantra en todos los sectores. Sin embargo, la pregunta clave es: ¿resulta posible digitalizar la experiencia del cliente sin deshumanizarla?

Justo ahí es donde aparece el séptimo enemigo de la experiencia del cliente: cuando caemos en el extremo de digitalizar sin humanización. Debemos recordar que las empresas las integramos personas que trabajamos para personas.

La digitalización se entiende como la transformación digital de procesos con el objetivo de ser más eficientes, ágiles y rentables, buscando la escalabilidad de la oferta de valor de la empresa con los mejores rendimientos. Sin embargo, para no caer en manos del enemigo, debemos tener claro que la digitalización no se limita a tecnología, internet, bots o *hardware*, sino que también incluye personas. Parece obvio, pero no lo es para muchos y olvidamos que las empresas las hacemos personas que se relacionan con personas (entre colaboradores, clientes y socios). Por ello, es indispensable que la transformación digital sea liderada bajo el enfoque de factor humano, de tal manera que se gestione desde la transformación tecnológica y no solo desde la digitalización.

Ojo, esta transformación no es tarea solo del área digital o de tecnología, sino de todas las áreas que integran la empresa. Así como la digitalización es para las personas, no hay digitalización sin personas.

La digitalización es una oportunidad que sí o sí deben aprovechar todas las empresas, sin embargo, se debe considerar que nuestros clientes son seres humanos y, como tales, son seres sociales que prefieren relacionarse con personas. Los clientes no quieren solo comprar productos a través de bots, sino que también quieren saber que detrás de ellos hay una empresa con personas: personas que los respalden, que resuelvan sus problemas cuando los bots no lo hacen. Tanto las empresas como los clientes necesitamos estar seguros de que hay alguien como nosotros al otro lado de la tecnología, que esta solo es un medio para hacer algo o para comunicarnos con alguien que nos entiende, nos conoce y se preocupa por nosotros. ¿O acaso como empresa sentirías la misma pasión por generar valor si tu propósito fuera solo venderle a bots?

Por ello la digitalización no debe ser concebida sin humanización por parte de las empresas, sino al contrario. Nuestra responsabilidad (sí, porque es una responsabilidad) es mejorar la manera en que se relacionan las personas, tanto interna como externamente, es decir, entre colaboradores, clientes y socios, logrando mayor agilidad, velocidad y seguridad a través de la digitalización y las nuevas tecnologías.

Digitalizemos todo aquello que nos ayude a dar la mejor experiencia al cliente y nos permita relacionarnos y

conectarnos mejor con ellos, sin olvidar que el factor humano es y seguirá siendo el origen de la existencia de las empresas.

Hoy te invito a que llevemos a las empresas hacia una digitalización más humana que nos permita seguir construyendo un mundo mejor para personas que trabajan para personas.

Conclusiones

Ahora que ya conoces los siete enemigos de la experiencia del cliente, trabaja para no caer en ellos. Enfócate en incorporar al cliente en el ADN de la empresa para que realmente funcione. Si crees que no dar servicio a tus clientes o hacerles difícil el poder recibir atención cuando lo requieren es la mejor opción para reducir costos, en lugar de mejorar la experiencia que cada uno tiene por su cantidad y diversidad, quiero decirte que estás en un gran error.

Recuerda que todo lo que vale la pena cuesta trabajo y los esfuerzos siempre traen beneficios, a veces no de manera inmediata, pero los traerán. Invertir en la experiencia del cliente conlleva los siguientes beneficios:

- Incrementa la rentabilidad.
- Crea lealtad por parte de tus clientes hacia la marca, tus productos y servicios.
- Genera buenas referencias y mejora la reputación de la empresa.
- Lograrás una verdadera diferenciación y ventaja competitiva sobre tus competidores.
- Te convertirás en líder en el mercado.
- Incrementarás el número de clientes.
- Incrementarás los ingresos de la empresa.

Mejorar la experiencia del cliente, incorporar innovación y lograr una transformación digital es un proceso continuo. Cuando hablamos de clientes y tiempo, sus requerimientos, expectativas y necesidades cambiarán, por lo que debes estar listo para cambiar y evolucionar con ellos. Evitar los siete enemigos de la experiencia del cliente y adaptarte continuamente serán claves para alcanzar el éxito, como lo han hecho las grandes empresas como Amazon, Apple, Uber, entre otras.

EXPERIENCIA DEL CLIENTE (CX)

Erika Ramos Becerril

Semblanza: Erika es una Administradora y Mercadóloga, con certificación en Gestión de Experiencia del Cliente y Coaching Ejecutivo. Por más de 20 años, ha trabajado en el sector financiero en empresas nacionales y multinacionales, creando productos y desarrollando estrategias comerciales. Ha estado a cargo de áreas de Experiencia del Cliente, CRM, Customer Intelligence, Reingeniería, Innovación, y Diseño de Productos. Esta faceta de su vida le ha ayudado a desarrollar habilidades de liderazgo para crear y dirigir equipos de alto desempeño y proyectos de gran impacto.

Buscando combinar su pasión por el crecimiento personal y el deseo de ayudar a las personas, descubrió el Coaching, y desde el año 2019 ha apoyado a otras personas a lograr sus metas personales y profesionales.

Erika es también Profesora de Cátedra en temas de Mercadotecnia, Innovación, Business Intelligence y Experiencia del Cliente.

Intención: Mi intención con este capítulo es recordar que cuando diseñamos productos o servicios, no debemos dejar de lado las necesidades y habilidades de un segmento que por lo general las marcas olvidan; me refiero a la población de la tercera edad (aquellos mayores de 60 años).

Mi propuesta es mostrar la forma de incorporar a este segmento en el proceso de diseño, que participen en cada fase o paso, que sean co-creadores de una solución que considerará sus necesidades, comportamientos, y emociones.

¿QUÉ NOS ENSEÑAN EINSTEIN Y CHAPLIN SOBRE LA EXPERIENCIA DEL CLIENTE?

«La verdadera innovación debe ser inclusiva, empática y considerar las necesidades, deseos, creencias y comportamientos de las personas sin importar sus características demográficas».

— **Erika Ramos Becerril**

Charles Chaplin fue un comediante, productor, escritor, director, y compositor británico nacido en 1889, quien se convirtió en una de las figuras más importantes en la historia del cine.

Albert Einstein fue un físico nacido en 1879 en Alemania. Desarrolló la Teoría de la Relatividad y ganó el Premio Nobel de Física en 1921 por su explicación del efecto fotoeléctrico. Es considerado el físico más influyente del siglo XX.

Se cuenta que, en 1931, Charles Chaplin y Albert Einstein se conocieron y a partir de entonces desarrollaron una amistad de varios años. En uno de sus encuentros tuvo lugar la siguiente conversación:

Albert Einstein: *"Lo que más admiro de tu arte es tu universalidad. Tú no dices una palabra, y sin embargo ... el mundo te entiende".*

Charles Chaplin: *"Es cierto, pero su fama es aún mayor. El mundo lo admira, cuando nadie lo entiende".*

Para mí, las mejores experiencias de un cliente al usar un producto o servicio deben ser tal cual Einstein describe el arte de Chaplin: universal (para todos), sin decir palabras (sin agregar cosas inútiles o irrelevantes). Que las personas entiendan el producto o servicio en cuestión, que puedan utilizarlo de forma fácil, sin frustración. Sin embargo, a veces sucede que las empresas se quedan admirando sus productos o servicios, sin darse cuenta que a menudo, las personas para quienes están diseñados esos productos no llegan a entenderlos, pues nunca estuvieron en la mente de sus creadores.

Has observado que durante algunos años ha sido común escuchar sobre transformación digital y su necesidad de implementación en las empresas. Llevarla a cabo ha implicado también la incorporación de la gestión de Experiencia del Cliente en cada canal de contacto, buscando la integralidad, es decir una experiencia omnicanal.

Aunado a este proceso de digitalización, la pandemia por COVID-19, nos llevó a situaciones o circunstancias inesperadas que requerían una rápida adaptabilidad y resiliencia.

Algunas empresas se encontraban listas para hacer una transición fácil y sencilla de sus productos o servicios, para pasar de la atención en canales físicos, al contacto en medios digitales. Un ejemplo son los supermercados, donde ellos mismos se convirtieron en el transporte directo de sus mercancías, o se apoyaron en otros operadores digitales para que los clientes pudieran hacer sus compras en aplicaciones y recibirlas en su domicilio sin necesidad de acudir a las tiendas.

Pero, ¿qué sucedió con otras compañías que aún no estaban listas para la transición? Por ejemplo, las instituciones financieras, en específico, los bancos.

Para algunos clientes que ya éramos usuarios de servicios como banca por internet o banca móvil, la adaptabilidad fue indolora. Pero hubo un segmento de la población que se vio fuertemente afectado, dado que no conocía estos servicios o no los utilizaba. Para este capítulo, me refiero en específico a la población de la tercera edad (aquellas personas mayores a 60 años).

Hace algunos meses, circuló en redes sociales el caso de un cliente de un banco español que se sintió totalmente incomprendido o no considerado, cuando fue obligado a utilizar la aplicación móvil de su banco.

Me refiero a Carlos San Juan de Laorden, médico de 78 años, quien debido a la enfermedad de Parkinson que padece, le era imposible retirar en un cajero automático, y al intentar pedir apoyo en una sucursal, se encontró con que la reducción de horarios le negaba la posibilidad de contactar con un ejecutivo, siendo su única opción concertar una cita a través de una aplicación, que para él era difícil utilizar.

En una entrevista, comentó: *«Con cortesía, me informaron que podía cambiar de banco si no estaba contento. Tengo mi dinero en el mismo banco desde hace 51 años, desde que me pagaron mi primer sueldo, y molesta darse cuenta que el mundo digital nos ha deshumanizado hasta tal punto que la lealtad ya no vale para nada».*

A raíz de este mal trato que recibió por parte de su banco, inició una campaña a través de redes sociales que tituló: *«Soy mayor, no idiota»*, con la cual buscaba que tanto los bancos como el gobierno tomaran acciones para atender de forma digna a aquellos clientes que por la edad son más vulnerables.

Su campaña obtuvo más de 600 mil firmas y gracias a ello y al ruido mediático generado, los bancos se comprometieron a ofrecer mejores servicios a los clientes de la tercera edad, lo que implicaba, entre otras cosas, ampliar el horario de sucursales y simplificar la interfaz de sus páginas web y aplicaciones.

¿Por qué deberían de quejarse nuestros clientes para que los atendamos lo mejor posible? ¿Por qué los olvidamos al diseñar nuestros productos o servicios?

Creo profundamente que no debemos dejar de ver las necesidades de los adultos mayores y considerar sus habilidades al diseñar productos; de lo contrario los estaremos excluyendo.

De eso trata la Experiencia del Cliente: de conocer a nuestros clientes, de diseñar nuestros productos y servicios pensando en sus necesidades, y de brindarles experiencias inolvidables, pero en el mejor sentido.

El objetivo de este capítulo es mostrarte la necesidad e importancia de incorporar a la población de adultos mayores en el diseño de nuestros productos y servicios, y al mismo tiempo busco ofrecerte una propuesta para lograrlo.

¿Por qué hago énfasis en el diseño centrado en los adultos mayores?

Primero, porque, como te comenté antes, es evidente que, dado las definiciones de producto o servicio, algunas empresas están dejando de lado este segmento de la población. Están excluyéndolos como si no formaran parte de su base de clientes, como si no tuvieran derecho a productos y servicios útiles, con facilidad de uso, deseables, y accesibles.

Segundo, porque si nos tomamos el tiempo de mirar las estadísticas a nivel mundial, nos daríamos cuenta que en unos años, la población mayor de 60 años se duplicará.

Aquí tienes algunos datos estadísticos sobre este segmento:

La Organización Mundial de la Salud llevó a cabo algunas estimaciones y cálculos sobre la población mundial mayor de 60 años, obteniendo los siguientes resultados:

- Para el 2050, el 80% de la población mayor a 60 años estará viviendo en países de bajo o mediano ingreso
- Entre 2015 y 2050, la proporción de la población mayor a 60 años casi se duplicará, pasando de 12% a 22%

- Para el 2030, 1 de cada 6 personas en el mundo tendrá más de 60 años, y en 2050 serán un total de 2.1 billones de personas.
- También en el año 2050, las personas mayores a 80 años serán un total de 426 millones de personas.

En la mayoría de los países del mundo, el ritmo de envejecimiento es ahora mayor que en décadas pasadas.

¿Cuál es la situación de México con respecto a la población mayor de 60 años?
De acuerdo con el INEGI (Instituto Nacional de Estadística y Geografía) con base en su Censo de Población y Vivienda del 2020, las características demográficas de las personas mayores en México muestran datos muy relevantes:

- En 2021 existían 12 personas mayores por cada 100 habitantes en el país. Para 2050, se estima que esta cantidad casi se duplique, llegando a 23 personas por cada 100 habitantes, que en total representarán 33.4 millones de personas mayores para ese año
- En ese mismo censo se observó que poco más de la mitad de la población con 60 años y más presenta alguna limitación para realizar actividades de la vida diaria, o algún problema o condición mental

Con estos datos mundiales y nacionales, cobra relevancia el comentario de Joseph F. Coughlin en su libro «The Longevity Economy», sobre que el envejecimiento de la población se manifestará de una forma dramática y al mismo tiempo predecible, por lo que las empresas que hagan planes a futuro deben de considerar este hecho en su segmentación y planeación.

Coughlin también señala que «*los productos para personas mayores tienden a reflejar una narrativa arbitraria y obsoleta de cómo debería progresar la vejez*», y cada vez es más evidente que esta narrativa no coincide con la realidad que experimenta este sector de la población.

Es importante mencionar y tener en cuenta que, como cualquier otro segmento, el de adultos mayores no es un grupo homogéneo tan solo descrito por la edad; es un grupo que también tiene en sí diversos subsegmentos y es importante reconocerlo al tratar de satisfacer sus necesidades.

Entendiendo la importancia de poner foco en las necesidades de los adultos mayores, déjame explicarte, **qué es la Experiencia del Cliente.**

La Experiencia del Cliente (CX) es el compendio de sentimientos, creencias, percepciones, y comportamientos que una marca ha generado en un cliente durante el tiempo que ha durado la relación entre ambos.

El objetivo de la CX es deleitar al cliente en cada etapa o contacto que la empresa tenga con él. Este deleite puede ir desde antes que se convierta en cliente, por ejemplo, cuando busca información sobre la empresa en su página web o a través de recomendaciones de amigos y familiares. Y sucede también en los momentos de compra o contratación de un producto o servicio, en el uso de dicho producto, cuando surgen dudas o quejas y hasta, en ocasiones, cuando se cancela la relación.

Para asegurarte que estás logrando ese «deleite», es de vital importancia que cuentes con los canales y medios adecuados para recibir la retroalimentación de tus clientes, ya sea porque les preguntes directamente, o porque el cliente emita una opinión en cualquier canal formal o informal.

Con base en la retroalimentación recibida, puedes generar ciertos indicadores que darán una visión del sentir de los clientes. Los más utilizados son:

- Tasas de cancelación y retención
- NPS (Net Promoter Score) o Índice de Recomendación
- CES (Customer Effort Score) o Índice de Esfuerzo del Cliente
- CSAT (Customer Satisfaction) o Satisfacción del Cliente

Dentro de la CX, existe otra disciplina vital para considerar las necesidades de tus clientes. Se trata de la Experiencia de Usuario (UX).

Si la CX se refiere a la relación del cliente con la marca (en todos sus contactos con ella), la UX se refiere a la relación del cliente con el producto o servicio en cuestión. Sus objetivos se centran en mejorar el diseño y la usabilidad de lo adquirido.

Es decir, la CX abarca: el servicio al cliente, la publicidad, los canales de contacto, la contratación y entrega del producto, así como también los canales de apoyo tales como los centros de atención.

Mientras que la UX incluye: el diseño visual e interactivo, la investigación y pruebas del producto, y, sobre todo, el eliminar cualquier frustración o fricción al utilizar el producto o servicio.

En conclusión, a través de la CX se busca generar experiencias positivas con la marca. Y la UX se enfoca en mejorar las interacciones con los productos para ayudar a crear esas experiencias positivas.

Es clara la importancia y relación entre ambas disciplinas, entonces surge la pregunta, ¿cómo puedes considerarlas en la estrategia de creación y diseño de productos y servicios para adultos mayores?

¿Cómo puedes integrar una experiencia memorable e ideal al segmento de adultos mayores?

Según mi experiencia, la respuesta es un diseño centrado en las personas. Mucho se ha escrito sobre este concepto, pero existen 6 principios que resumen su objetivo y los cuales se encuentran definidos por el estándar ISO 9241-210:

1. El diseño está basado en un conocimiento explícito del usuario, tareas (o actividades que realiza), y ambiente (o contexto y situación)
2. Los usuarios se involucran a través de todo el proceso y desarrollo
3. El diseño es impulsado y definido por una evaluación centrada en el usuario
4. El proceso es iterativo
5. El diseño abarca el total de la experiencia del usuario
6. El equipo de diseño incluye perspectivas y habilidades multidisciplinarias

Mi sugerencia es considerar las necesidades, deseos, creencias, y comportamientos de los adultos mayores en el corazón mismo del proceso del diseño de productos y servicios. Utilizar un enfoque que incluya al segmento de adultos mayores en el proceso de diseño. Dicho enfoque se conoce como co-creación, co-diseño, o diseño cooperativo.

A través de este proceso puedes identificar, anticipar, y satisfacer las necesidades de los clientes o usuarios de edad más avanzada.

Para llegar a esta solución, es conveniente explicar cuál es el proceso de «**Design Thinking**» y cómo se podrían adaptar sus pasos al co-diseño enfocado en adultos mayores.

Dicho proceso a través de un enfoque innovador y colaborativo, busca solucionar problemas y/o crear productos y servicios centrados en el cliente. El resultado que se obtiene al final del mismo es una solución deseable, factible, y viable.

Su éxito radica en que es interdisciplinario; es decir, participan personas de diferentes ámbitos dentro de una empresa y hasta de fuera de ella, como en el caso de los clientes o usuarios. También es un proceso iterativo y flexible debido a que no es lineal y puede regresar a etapas previas cuantas veces sea necesario para lograr la solución. Sus principales elementos son la divergencia y la empatía.

Dependiendo de la literatura a consultar, el «Design Thinking» puede tener diferentes cantidades de pasos, pero todos coinciden que se enfoca en tres etapas: descubrir, diseñar, y entregar.

Paso 1. Investigación.

«Nunca encontrarás un arcoíris si miras hacia abajo».
Charles Chaplin

En esta etapa se busca obtener información sobre el problema u oportunidad que se haya identificado. Puedes incluir fuentes como entrevistas, focus group, o investigaciones de mercado, aunque también puedes considerar fuentes externas como expertos, artículos, o personas relacionadas con la problemática.

Paso 2. Empatía.

> *«No es que sea tan inteligente; es solo que me quedo con los problemas más tiempo».*
> **Albert Einstein**

La empatía implica estudiar a las personas en su contexto, es decir, en su cultura o ambiente. Entender cómo piensan y sienten. Dependiendo del alcance del estudio o la complejidad de la situación, esta etapa puede durar días, semanas, o meses. Sin embargo, es primordial que tengas claro quién es tu cliente o usuario en términos del proceso de «Design Thinking».

En el caso de los adultos mayores cobra relevancia observarlos en sus actividades diarias, ello nos dará evidencia de los factores que afectan su comportamiento. Por ejemplo, en algunas investigaciones donde se han observado varios grupos de adultos mayores, se han detectado factores de salud y sociales que influencian sus actividades diarias y por ende su comportamiento, como:

- Discapacidad funcional y cognitiva
- Enfermedades crónicas
- Disminución de contacto social
- Reducción de actividad física

¿Crees que actualmente, las empresas consideran estos factores al momento de diseñar los productos y servicios?

Quizá en servicios como asistencia, hospitales, centros de salud, o asilos sí se consideran estos factores, pero en otros ámbitos como el de la tecnología, creo que aún falta mucho por hacer.

Los dos primeros pasos llevan implícitos la capacidad de escuchar a las personas, de elegir el contexto y el método que utilizaremos para identificar el reto, problema, u oportunidad.

En el caso de los adultos mayores, el hogar es un contexto válido, pero también lo son sus círculos sociales, los lugares donde pasan tiempo, o las instituciones a las que frecuentan. Debes vivir con ellos la experiencia en el uso del producto o en el momento en donde se genera la necesidad que deseas satisfacer o el problema que buscas solucionar.

Las preguntas directas son una buena fuente, pero la principal debe ser la observación para detectar aquello que no te dicen o no identifican. Una fuente confiable de información son también las historias o anécdotas; escucha qué te cuentan, no los interrumpas.

Paso 3. Definición.

«La humildad es una mentalidad que conduce al descubrimiento».
Albert Einstein

En este paso se busca darles visibilidad a los datos que se han obtenido de las fases previas con el fin de tomar decisiones. Aquí son comunes los ejercicios que seguro has visto en fotos o videos, donde las personas colocan notas o «post its» en un pizarrón. Dichas notas generalmente contienen un par de palabras o frases y con ello se busca clasificar y categorizar las observaciones e información. Algunas de esas categorías son necesidades, conductas, y percepciones.

Cuando realices este paso, te darás cuenta de la cantidad de información que has obtenido con los ejercicios previos, por ello es muy importante que priorices tus hallazgos.

En cuanto a tecnología, existen dos modelos de aceptación basados en psicología social y que buscan explicar qué variables influencian la intención de uso de un producto:

- TAM (Technology Acceptance Model) o Modelo de Aceptación Tecnológica: considera que existen dos variables clave que explican el 40% de la intención de uso de una tecnología. Dichas variables son la utilidad percibida y la factibilidad de uso percibida.
- UTAUT (Unified Theory of Acceptance and Use of Technology) o Teoría Unificada de Aceptación y Uso de la Tecnología. Este modelo explica en un 70% la intención de uso. Para lograrlo, considera las variables del modelo TAM y suma:

  - Variable de influencia social
  - Condiciones que faciliten el uso
  - 4 factores: género, edad, experiencia, y voluntad de uso

Paso 4. Idear.

«La lógica te llevará de la A a la Z; la imaginación te llevará a todas partes».
Albert Einstein

En la etapa de definición ya has identificado los problemas u oportunidades, por lo que ahora es momento de que les des solución. Aunque lo recomendable es que los adultos mayores participen durante todo el proceso de "Design Thinking", es en este punto donde toma especial relevancia su presencia.

En este paso, puedes utilizar técnicas de fácil uso para ellos, como lluvia de ideas, juego de roles, elaboración de collages, o la varita mágica para conseguir su participación.

Regresando al punto que mencionaba sobre la característica de flexibilidad e interactividad del proceso, es en esta fase donde comúnmente se regresa a pasos anteriores para generar nuevas ideas o crear diferentes alternativas si vemos que las primeras no se ajustan a las necesidades del usuario.

La definición y la generación de ideas son fases que te permiten llevar a cabo el verdadero co-diseño con el adulto mayor. A través de su participación, podrás identificar patrones, percepciones, creencias, e interpretaciones.

A través de la lluvia de ideas obtendrás nuevas soluciones con menor riesgo de equivocarte, pues tu cliente se encuentra colaborando contigo en generar una solución real.

En enero de 2014, el «International journal of medical informatics», publicó el artículo «Factors influencing acceptance of technology for aging in place», en el cual presenta los resultados de una investigación realizada en varias fuentes. Una de las conclusiones de esta revisión, es que existen seis consideraciones o preocupaciones por parte de los adultos mayores acerca de la tecnología:

- Que se trate de un producto que no han utilizado anteriormente
- Que tenga un alto costo
- Que presente implicaciones en cuanto a la privacidad
- Que lo puedan perder u olvidar en algún lugar
- Que no sea efectivo
- Que no tengan control sobre el producto

Dichas investigaciones también concluyeron que los beneficios que esperan los adultos mayores al utilizar la tecnología son:

- Mayor seguridad
- Percibir utilidad en su uso
- Mayor independencia
- Evitar generar carga o trabajo extra a sus familiares

Paso 5. Prototipo.

«La imaginación no significa nada sin hacer».
Charles Chaplin

En esta fase, la idea puede ya ser visualizada. Construirás prototipos abstractos, sencillos, y de rápida creación, con el fin de tomar decisiones de diseño antes de que realices grandes inversiones en tiempo y dinero.

De acuerdo con IDEO (Global Design and Innovation Company), la forma más fácil de crear un prototipo es tener en mente la pregunta: ¿cómo puedo hacer algo en un tiempo mínimo, para obtener retroalimentación de los usuarios lo más rápido posible?

Al momento de diseñar los productos tecnológicos o digitales, tanto para el segmento de adultos mayores como cualquier otro, existen algunas guías que te recomiendo considerar, ya que aseguran en cierta medida la usabilidad de los productos.

1. WCAG (Web Content Accessibility Guidelines): define cómo hacer contenidos en la web que sean más accesibles para personas con discapacidades visuales, auditivas, físicas, de lenguaje, cognitivas, de habla, de aprendizaje, y neurológicas.

Engloba 12 guías que se agrupan en 4 principios:

1. Perceptible: la información y los componentes de la interfaz de usuario deben estar presentables para los usuarios de manera que puedan percibirlos.
2. Entendible: la información y el funcionamiento de la interfaz de usuario deben ser comprensibles.
3. Operable: los componentes de la interfaz de usuario y la navegación deben estar operativos.
4. Robusto: el contenido debe ser lo suficientemente sólido como para que pueda ser interpretado por una amplia variedad de agentes de usuario, incluidas las tecnologías de asistencia.

2. Heurísticas de Nielsen: fueron creadas por Jakob Nielsen y son reglas generales que buscan facilitar la creación de productos digitales con el fin de que sean más accesibles, fáciles de usar, e intuitivos.

   1. Visibilidad del sistema: el diseño siempre debe mantener informados a los usuarios sobre lo que está sucediendo.
   2. Coincidencia entre el sistema y el mundo real: el diseño debe hablar el idioma de los usuarios. Es decir, utilizar palabras, frases, y conceptos familiares para el usuario.
   3. Darle al usuario el control y la libertad: los usuarios suelen realizar acciones por error. Necesitan una «salida de emergencia» claramente marcada para salir de la acción no deseada sin tener que pasar por un proceso prolongado.
   4. Consistencia y estándares: los usuarios no deberían tener que preguntarse si diferentes palabras, situaciones, o acciones significan lo mismo.

5. Prevención de errores: diseño que evite que ocurran errores.

6. Reconocer en lugar de recordar: minimizar la carga de memoria del usuario haciendo visibles los elementos, acciones, y opciones.

7. Flexibilidad y eficiencia de uso: permitir a los usuarios personalizar las acciones frecuentes.

8. Estética y diseño minimalista: las interfaces no deben contener información que sea irrelevante o que rara vez se necesite.

9. Ayudar al usuario a reconocer, diagnosticar, y recuperarse de los errores: los mensajes de error deben expresarse en un lenguaje sencillo

10. Ayuda y documentación: proporcionar documentación para ayudar a los usuarios a comprender cómo completar sus tareas.

Paso 6. Prueba.

«No hay fracaso en aprender, pero puede haberlo en negarse a desaprender».
Albert Einstein

Se busca conocer la percepción del cliente con respecto a la idea y se puede realizar a través de métodos como grupos de prueba, convivir con el usuario en su contexto o situación, realizar pruebas digitales, o por medio de «storyboards».

La finalidad de esta etapa es que pruebes el concepto y en su caso generes nuevas ideas o redefinas las soluciones propuestas.

Existen dos principales tipos de pruebas:

- Test Cualitativo: el objetivo de la prueba es encontrar problemas de usabilidad que pueden repararse. Se centran en recopilar información, hallazgos, y anécdotas sobre cómo las personas usan el producto o servicio.
- Test Cuantitativo: su enfoque es recopilar métricas que describan la experiencia del usuario. Las métricas más comunes son el éxito de la tarea y el tiempo dedicado a la misma.

En el caso de los adultos mayores, es recomendable utilizar ambas pruebas al evaluar el prototipo. Para las cualitativas es conveniente pedirles que vayan narrando sus acciones y aproveches también ese momento para observar sus comportamientos, emociones, y sentimientos.

En cuanto a las pruebas cuantitativas ten especial cuidado en redactar instrucciones claras para las tareas que les pidas realizar, con el fin de no generar confusión y por ende resultados poco veraces.

En ambos casos y dado el tipo de usuario, es aconsejable que exista un facilitador o moderador que guíe al adulto mayor, pero sin influir en su comportamiento.

Paso 7. Implementar.

«La ciencia no puede divorciarse de la aplicación».
Albert Einstein

Por fin podrás llevar el prototipo a la realidad a través de su desarrollo y producción. En este punto puedes iniciar con un lanzamiento piloto, en algunos segmentos o zonas, para posteriormente hacerlo a un nivel más extenso.

Los últimos tres pasos materializan la idea y permiten su evaluación por parte de los usuarios, con el fin de validar que la propuesta soluciona el problema o necesidad.

Aquellas soluciones que se centran en las personas, surgen de considerar tres aspectos importantes:

- Deseabilidad. ¿Qué es lo que desea la gente?
- Factibilidad. ¿Qué es técnica y organizacionalmente factible?
- Viabilidad. ¿Qué puede ser económicamente viable?

En el caso de los adultos mayores, en comparación con los jóvenes, el valor esperado de la experiencia es mayor debido a que, para ellos, los costos y riesgos de adquirir un producto son también mayores.

SeniorWise, una empresa que ayuda a sus clientes a diseñar productos interactivos para personas mayores, ha identificado dichos costos y riesgos:

- Costos: esfuerzo cognitivo (atención, pensamiento, y memoria), esfuerzo físico (agilidad y deterioro muscular), y costo financiero.
- Riesgos: expectativas negativas previas, falta de capacitación y apoyo, temor a invertir tiempo, esfuerzo, y dinero.

Te aconsejo que busques mitigar esos riesgos y costos, generando beneficios o soluciones enfocadas a las necesidades y comportamientos de un segmento que hoy más que nunca requiere atención, acompañamiento, y consideración.

Clayton Christensen a través de su Teoría de la Innovación Disruptiva explica el fenómeno por el cual una innovación transforma un mercado o sector existente mediante la introducción de la simplicidad, la conveniencia, la accesibilidad, y la factibilidad, donde la complicación y el alto costo se han convertido en el status quo, redefiniendo finalmente por completo la industria.

Pero yo pienso, que la verdadera innovación debe, además, ser inclusiva y empática, y considerar las necesidades, deseos, creencias, y comportamientos de las personas sin importar sus características demográficas.

«Diversidad es tener un asiento en la mesa, inclusión es tener voz y pertenencia es que esa voz sea escuchada».

Liz Fosslien

EXPERIENCIA DEL CLIENTE (CX)

José Luis (Pepe) Pulido G.

Semblanza: Pepe se ha divertido los últimos 25 años en el sector financiero colaborando en diferentes negocios (Banca, Procesador de Pagos, Financiera, y Fintech), comenzando su formación en equipos de servicio al cliente tanto para personas como para empresas, experiencia que le permitió colaborar en diseño de productos y campañas de marketing con una fuerte orientación al consumidor y al uso de canales remotos y de tecnología (le caen mal las sucursales bancarias y las filas).

Ha sido ponente en eventos de internet y de hospitalidad, conversando sobre plataformas y soluciones de pagos digitales. El marketing le permitió colaborar en medios impresos y digitales como parte de la estrategia a través del desarrollo de artículos de posicionamiento y marca. Es seguidor de empresas tradicionales, startup, y Fintech cuyas contribuciones al sector financiero lo hacen más sencillo y de fácil acceso para más y más personas. Desde muy joven tiene equipos a su cargo, por lo que cree en el valor de las personas y la diferencia que pueden marcar. Es un promotor activo de la digitalización para profesionistas independientes así como de pequeños negocios.

Intención: El capítulo fue elaborado con la intención de conectar al lector con una serie de ejemplos y situaciones vigentes donde, derivado de una gran crisis, se aceleró y fortaleció un ecosistema de empresas financieras cuyo eje es la tecnología, de modo que no solo se conozca más sobre el término y sus características, sino que, basado en sus necesidades e intereses, cada comprador esté mejor informado y pueda decidir a dónde quiere llevar su dinero, siendo cada vez más crítico, reclamando su derecho de ser atendido de la mejor forma cuando así lo requiera, y presionando para que las empresas brinden experiencias de servicio cada vez mejores como un diferenciador para ser elegidas.

SECTOR FINTECH: LA BÚSQUEDA DE UNA EXPERIENCIA DE SERVICIO ÁGIL Y DIFERENTE

―❝―

«Lo que hagas en esta vida, dejará una huella y tendrá eco en la eternidad... tú decides».

―**Pepe Pulido G.**

❞―

Introducción

Cada persona que adquiere, vende, diseñe, o cree un producto o servicio, debe saber que no todo termina una vez que lo ha desplazado, sino que eso da inicio a un flujo que va a permitir una mayor colocación, mayores ingresos, y retornos de inversión más rápidos; siempre que el consumidor haya tenido una experiencia positiva o que cuando requiera de la marca, encuentre soluciones ágiles y convincentes para amar, odiar, o ser indiferente a su compra.

Para entender mejor la experiencia del servicio aterrizado a las empresas Fintech, se busca ir brindando un punto de vista sobre diferentes cuestiones: ¿cómo influye la experiencia en el servicio? ¿Quiénes brindan las mejores experiencias? ¿Las Fintech? ¿Las empresas tradicionales? ¿Quién está detrás del servicio en las Fintech? ¿Qué producto o servicio debe elegir el consumidor basado en su experiencia?

Al final, el consumidor es siempre quien calificará y valorará si la experiencia vivida, ya sea antes, durante, o después de adquirir un bien o servicio; le hará repetirla o la desechará para siempre. Y algo que sugiero considerar, estimado lector, es que no todas las marcas, tecnologías, productos, o servicios son para todos, así tengan el mejor empaque, mucho marketing, se obtenga en tres segundos, tenga un diseño hermoso, es posible que no cubra las necesidades de cada individuo e inclusive, por la simple generación a la que pertenezcas, quizá optes por ir al banco antes de hacerlo desde tu móvil, lo cual no está ni mal ni bien, es lo que a ti te hace sentido y te genera una grata experiencia.

Alineando conceptos

Experiencia del servicio

Para la firma Zendesk[1], dedicada a la gestión de clientes por medio de diferentes plataformas, el concepto de experiencia de servicio al cliente puede explicarse como el conjunto de interacciones que tiene un cliente o prospecto con el servicio de <u>atención al cliente</u>.

Experiencia del cliente y servicio al cliente, ¿son lo mismo?

Para entenderlo mejor, debemos señalar la diferencia entre ambos conceptos.

La experiencia del cliente es la sensación o sentimiento que un cliente se lleva de tu marca luego de interactuar con ella. El servicio al cliente es el soporte que la empresa brinda a sus clientes en todas las etapas -preventa, venta, postventa- y a través de cualquier medio: agentes de atención al cliente, chatbots, <u>FAQ</u>, etc.

¿Qué tal te ha ido con esta sensación o sentimiento? Seguro que ya te vino a la mente la última ocasión en que quedaste

---

1 https://www.zendesk.com.mx/blog/experiencia-servicio-cliente/#:~:text=El%20concepto%20de%20experiencia%20de,cliente%20y%20servicio%20al%20cliente

satisfecho con una experiencia positiva o quizá tu estómago se haya enredado de nuevo al recordar aquella marca que te hizo ver tu suerte justo cuando más la necesitabas.

Fintech

Según la asociación Fintech México[2], es una industria naciente en la que las empresas usan la tecnología para brindar servicios financieros de manera eficiente, ágil, cómoda, y confiable. La palabra se forma a partir de la contracción de los términos finance y technology en inglés.

FINANZAS + TECNOLOGÍA = FINTECH

Para el grupo financiero BBVA[3], la tecnología financiera o Fintech se utiliza para describir una «nueva tecnología que busca mejorar y automatizar la entrega y el uso de servicios financieros».

Una empresa Fintech es aquella que proporciona servicios financieros a través de software u otra tecnología. En esencia, se usan sistemas informáticos para que empresas y consumidores puedan administrar mejor sus operaciones financieras, procesos y vidas mediante el uso de software y algoritmos especializados que se utilizan en computadoras y teléfonos inteligentes.

El término «tecnología financiera» aplica para las innovaciones que se hacen a los procesos o soportes con los que se realiza cualquier actividad comercial que utilice servicios de esta naturaleza.

Antes de continuar, es justo aquí donde podrías abrir tu computadora, mirar los sitios que frecuentas, si lo prefieres, toma tu celular y revisa las apps instaladas para que ubiques con cuántas empresas tradicionales interactúas y cuántas

---

2 https://www.fintechmexico.org/qu-es-fintech
3 https://www.bbva.mx/educacion-financiera/ahorro/fintech-.html

otras pertenecen a empresas del tipo Fintech, para lo cual te menciono algunos ejemplos de los servicios que brindan estas empresas de tecnología financiera que quizá hayas escuchado o que incluso ya usas en forma regular:

«Cada que quiero un crédito, evitó hacer filas en el banco y mejor lo hago por medio de la app «X» que me lo deposita en minutos, en un solo clic y sin requisitos complicados».

«No tengo tiempo de ir al supermercado, pero entro a mi «app» de los abarrotes, hago mi pedido y lo tengo en la puerta de mi casa en poco tiempo».

«Quiero una tarjeta de crédito pero ni loco iré al banco, entraré a uno de los «Neobanks» me doy de alta, se revisa mi historial, aprueban mi crédito y me dan una tarjeta digital para mis compras en línea o me llega un plástico físico a casa».

«Quiero estrenar unos tenis, pero no tengo tarjeta de crédito y no quiero gastarme todo mi efectivo así que opte por una aplicación «Buy now, pay later» con la cual puedo comprar con mi tarjeta de débito y pagarlo en cómodas quincenas sin acabarme todo mi efectivo».

En este punto cada lector ya sabe qué tanto opera con empresas tradicionales y qué tanto con empresas tecnológicas, además ya puedes estar sonriendo o sulfurando según la experiencia que hayas vivido.

En este gráfico podrás observar con mayor detalle a qué se dedican las Fintech (como referencia en México) durante el 2022 y que no es muy diferente a lo que sucede en otros países aunque los porcentajes pueden variar[4].

---

4 https://www.eleconomista.com.mx/sectorfinanciero/Ven-2022-como-un-ano-de-consolidacion-para-el-sector-fintech-en-Mexico-20220124-0104.html

¿A qué se dedican las empresas fintech que operan en México?

Distribución del ecosistema de empresas de tecnología financiera (fintech) en México | CIFRAS EN PORCENTAJE

- **2** Financiamiento colectivo
- **3** Gestión patrimonial
- **4** Finanzas abiertas
- **5** Servicios para bienes raíces
- **5** Banca digital
- **8** Seguros
- **9** Bienestar financiero
- **11** Gestión de finanzas empresariales
- **21** Préstamos
- **18** Pagos y remesas
- **14** Empresas de tecnologías para instituciones financieras

FUENTE: FINNOVISTA   EL ECONOMISTA

En 2022, existen 2482 plataformas tecnológico-financieras operando en Latinoamérica bajo la siguiente distribución, en Brasil se encuentra el 31% del total de las Fintech en Latinoamérica, seguido de México con el 21%, detrás de ellos se encuentra Colombia con un 11%, Argentina continúa con un 11%, y Chile con un 7%[5].

Propósito de las Fintech

Los servicios y soluciones que diseñan cuyo enfoque inicial es en el sector financiero, no limita que por su diversidad, pueden ofrecerlos a diferentes sectores y empresas. Las Fintech buscan «democratizar» el acceso de las personas a los servicios financieros que quizá no encuentran en los bancos tradicionales los productos o servicios que de acuerdo a su perfil,

---

5 https://www.heraldobinario.com.mx/fintech/2022/9/3/cuantas-fintech-hay-en-latinoamerica-este-es-el-pais-que-tiene-mas-28249.html

les permitan cubrir necesidades como un préstamo de auto, casa, tener una tarjeta de crédito, un seguro, o una inversión. Por otro lado, se ubican quienes ya no encuentran valor adicional en los bancos y los perciben como un «mal necesario» o una pesadilla cuando tienen que acudir, optando por otras alternativas más ágiles, accesibles, sencillas, que incluso pueden adquirir desde su computadora o teléfono celular en unos cuantos pasos.

Antes de continuar, te invito a detenerte, ¡otra veeez! Y pensar en las siguientes preguntas: ¿una Fintech brinda mejor experiencia que el banco u otros servicios financieros? ¿Debemos dejar los bancos?

R = Depende...

¿De qué?

R = Del propósito que tengas con tu dinero y de cuánta alineación hay con la oferta de la empresa (Fintech, banco, u otra) a la que se lo vas a confiar. Volvemos al asunto que enmarca este capítulo. ¿Qué tan buena fue tu experiencia al darte de alta? ¿Qué tal te atendieron y resolvieron cuando tuviste problemas? ¿Cómo te trataron en la parte más fuerte del COVID-19?

Hasta ahora mi principal intención ha sido la de proponer algunos conceptos principales, ejemplos, y preguntas que te permitan conocer un poco más sobre el tema central de este capítulo, tratando de conectar con tus experiencias cotidianas y de ser posible, aportando elementos para que las personas puedan elegir de mejor manera con quien llevar sus productos y servicios financieros.

La experiencia reciente

Si miras el día con día de dos años a la fecha, la pandemia del COVID-19 impulsó en forma importante el uso de los canales digitales y remotos a través de sitios web, teléfono o apps, modificando en forma importante los hábitos de consumo pero también acelerando la adopción de nuevas tecnologías, las cuales permitieron llevar una vida «normal y segura», sin tener que salir de casa, reduciendo así el contacto humano que durante la emergencia fue algo indispensable para minimizar los contagios. Hay un estudio del Banco Mundial que incluso mencionan una aceleración desde el 11% hasta el 45% en el uso de los canales digitales en Latinoamérica, lo cual en forma natural hubiera tomado más años[6].

Dejamos en la forma tradicional y con la misma libertad, las calles, los centros comerciales, el trabajo, la educación, los viajes, el cuidado de la salud, etc., y nos pusimos frente a una pantalla, sobre una mesa o escritorio, adquirimos más capacidad de internet, acondicionamos espacios, crecieron las plataformas digitales, ya no íbamos al supermercado o a las tiendas sino que empezamos a pedir en línea, por teléfono, y por medio de apps, volviendo cada casa el centro de todo, el punto de entrega, y recolección.

Casi todos, sin importar su edad, se adaptaron a las nuevas formas de vida que son una suma de entregables provenientes de las empresas grandes, de renombre, y que lideran muchos de los sectores de la economía así como otras sin tanto nombre, jóvenes, pero que vinieron a sumar y ofrecer frescura a un sector de la población que ya no comulgaba con las formas tradicionales de comprar, vender, recibir, y proveer servicio.

Es temprano aún en el capítulo pero más adelante profundizaremos sobre cómo este colapso en el servicio se fue mitigando con el paso de los meses a través de las diferentes contribuciones e inversiones realizadas por empresas de todos los tamaños, a un ritmo acelerado, donde también juega un

---

6 https://blogs.worldbank.org/es/latinamerica/el-aumento-de-la-inclusion-financiera-digital-durante-la-pandemia-de-covid-19

papel fundamental la apertura de las personas hacía otras formas de hacer lo mismo con un «look and feel» diferente y obteniendo los mismos o -incluso mejores- resultados aunque por lo crítico del momento quizá fue más forzado que voluntario pero eso sí, necesario.

Hay algunas razones que me hicieron involucrarme en el tema de las Fintech y la experiencia del cliente, la primera es porque mi formación profesional arrancó en equipos de servicio al cliente tanto de personas como de empresas; la segunda es porque disfruto la tecnología y moverse en la ola tecnológica permite mantenerse al día aunque no todo es miel sobre hojuelas, una tercera es porque huyo de las sucursales bancarias y de las filas pero la cuarta y creo que más importante, es porque soy dueño como consumidor de mi dinero, de dónde lo gasto, pero principalmente porque, en donde decida gastarlo, espero una experiencia ágil, sencilla, memorable y que valga cada peso invertido. Sencillo, ¿no?

La experiencia de servicio en tiempos del COVID-19

A partir del mes de abril del 2020, el mundo se detuvo casi en su totalidad y la prioridad se volcó hacia la conservación de la vida humana. Se restringe el acceso a casi todos los lugares, quedando solo unos cuantos que ofrecían servicios básicos.

Algunos productos como los de limpieza y desinfección se sobrevaloran y escasean, otros más de menor importancia en ese momento, pasan a un plano inferior, generando una grave crisis en muchas industrias.

La vida debía continuar pero en una forma distinta, así que recurrimos a los sitios web o a las aplicaciones para una gran cantidad de cosas, pagar servicios, pedir la despensa a domicilio, realizar compras para el hogar o incluso aprovechar las ofertas que se presentaron en varios artículos no indispensables. Fue necesario adquirir planes de internet con mayor capacidad, utilizar las plataformas de video para comunicarnos, y en muchos sentidos, las personas dieron grandes saltos a la tecnología.

Siempre hay un pero (o varios)

- Los tiempos de entrega eran larguísimos y rara vez se cumplían los plazos
- Los sitios de venta en línea se quedaron cortos en la cantidad requerida de expertos ante la demanda que se generó a través de canales remotos, llegando en muchas ocasiones a vender productos ¡que no tenían! Porque no había quien actualizara los inventarios y posteriormente tomándose meses para realizar las devoluciones a los compradores
- Todos los productos se tenían que higienizar, pero no había suficiente sanitizante en ningún lado
- Los pedidos se surtían en partes
- Los Call Center colapsaron pues tuvieron que mandar a casa a todo su personal y los tiempos de espera en línea eran mayores a una hora
- Facebook, Twitter, y otras redes sociales crecieron como canales emergentes para obtener respuestas y servicio pero también colapsaron
- Los bancos tuvieron que poner freno a varios de sus productos y más bien lanzaron programas de apoyo para evitar pérdidas e incrementos en sus carteras vencidas
- El arrendamiento y la adquisición de vivienda se frenaron
- Todos los productos que requerían microprocesadores (chips) escasearon, pues la única fábrica de China a nivel mundial detuvo la producción, frenando la producción de muchos artículos electrónicos que no pudieron seguirse produciendo.

Siempre en la crisis, hay oportunidad

- Plataformas digitales como Amazon y Mercado Libre, hicieron un gran esfuerzo por multiplicar el número de repartidores y unidades, siendo las primeras en atender la alta demanda de diferentes productos en tiempo y forma. Incluso comenzaron a vender abarrotes
- Costco y Walmart fueron dos de los grandes autoservicios que estandarizaron sus productos en forma eficiente logrando estabilizar sus tiempos de entrega y respondiendo a la demanda generada
- Los servicios de la tienda hasta tu casa como Justo, Jokr, Corner Shop lograron crecer e integrarse al uso recurrente de los consumidores que dejaron las tiendas físicas de autoservicio
- Rappi, Uber Eats, y todos los que ofrecieran «delivery» o entrega a domicilio por medio de una app, se volvieron un enlace muy importante entre los negocios que solo podían vender desde el mostrador y las personas que deseaban alimentos variados pero desde la comodidad de su hogar
- Los negocios comenzaron a utilizar ligas de pago a distancia que mandaban por medio de mensajes de texto a su comprador con el detalle del consumo y este a su vez ingresaba, colocaba sus datos bancarios y luego tenía la opción de pasar a recoger el producto o que se le enviara a su domicilio sin tener que manejar efectivo
- Ciertos bienes como los autos, se comenzaron a vender por medio de canales digitales y redes sociales
- Crecieron en forma importante las Fintech que ofrecen crédito, seguros, y otros productos que los bancos no pudieron solventar durante la emergencia y que para evitar acudir a sucursales, se solicitaban vía remota
- Las consultas médicas se realizaban por videollamadas

- Los códigos QR que hace unos años se habían estancado, cobraron vida en forma espectacular, pues fueron el medio para acceder a registros, promociones, menú de alimentos, y toda clase de información
- La demanda de personal experto en ecommerce o desarrollo de app ha despuntado de tal forma que las empresas «se pelean» a estos expertos y es verdaderamente complejo atraerlos

Seguro que me quede corto en las malas experiencias así como en aquellas positivas, pero confío en que cada lector tendrá otras más que contar, al final, este trabajo no es concluyente, sino una manera de traer a las conversaciones aquellas lecciones que debemos evitar, las que debemos replicar, y otras que pueden ser aún mejores.

Las metodologías ágiles como base del desarrollo en Fintech

Hemos puesto sobre la mesa varias definiciones, ejemplos, experiencias y cifras, pero no hemos mencionado cuál es la base metodológica que la mayoría de Fintech usan para el desarrollo de sus productos en comparación quizá con otras empresas ya consolidadas o de corte tradicional.

Hay muchas metodologías para hacer montones de cosas, quisiera mencionar dos «Waterfall» y «Agile». Según la estructura, el modelo de negocio, y la urgencia, cada empresa utilizará el método que más le convenga.

Generalmente no es una decisión sencilla, siendo necesario debatir los requerimientos de la iniciativa antes de elegir la más apropiada.

Waterfall: También denominada en «cascada», es el método que se ha utilizado tradicionalmente. Consiste en desarrollar un proyecto de forma secuencial, comenzando con las fases de análisis y diseño y terminando con las de pruebas y puesta en producción.

Agile: Una metodología de tipo RAD (Rapid Application Development), siendo <u>Scrum</u> el método más utilizado. Definir, diseñar, implementar por un plazo corto, medir, evaluar y, si fue resultado positivo, continúas, pero si fallaste, reinicias el ciclo todas las veces que sean necesarias[7].

Agile es la que más se usa en las empresas Fintech pues es la que de acuerdo a su naturaleza, les permite poner en funcionamiento productos en forma muy rápida, corregir cuando hay fallas, rediseñar y relanzar, sumar nuevas funcionalidades en corto tiempo, ofrecer mejoras según las necesidades del mercado en forma segura, alineación al marco regulatorio aplicable (la mayoría de ellas), y mucha adaptabilidad, tanta que muchos son los casos donde estas empresas son adquiridas por otras de mayor tamaño, las cuales buscan cubrir productos o servicios que no tienen, así como poderlos comercializar a mayor escala, con gran facilidad, y quizá hasta con menores costos.

Bueno, y quizás más de una persona dirá, «Eso suena súper bien, ¿qué esperamos para mover nuestro dinero hacía una Fintech?» Sugiero primero conocer las diferencias y, un poco más adelante, vienen elementos que permitirán a cada elector emitir su veredicto y hasta fijar su posición sobre estas empresas.

Banca tradicional vs. Fintech
La aparición de las Fintech ha revolucionado el sistema bancario. Las entidades tradicionales, internacionales, multiproducto, y que atienden a diferentes segmentos con sus múltiples

---

7 https://www2.deloitte.com/es/es/pages/technology/articles/waterfall-vs-agile.html

divisiones (banca minorista, banca personal y privada, banca de empresas, y la banca corporativa), se han visto obligadas a transformarse ante la aparición de start-ups con oferta monoproducto, flexibles, y con un enfoque completamente centrado en el cliente. Todas estas siendo características que les han permitido bajar precios y comisiones de los servicios financieros, y aumentar sustancialmente la calidad de estos servicios.

¿Qué servicios ofrecen las Fintech? Principalmente aquellos destinados a hacer más sencillo el acceso a servicios financieros a través de nuevas tecnologías. Desde comparadores financieros con los cuales comparar hipotecas, préstamos, cuentas bancarias etc., a servicios de *onboarding* digital, que aceleran procesos de alta y contratación sin necesidad de desplazarse físicamente a la entidad, pasando por agregadores financieros que permiten conocer toda la información financiera de un usuario en una misma plataforma.

«Pese a que la irrupción de estos actores ha supuesto un punto de inflexión para los bancos, parece claro que el futuro pasará por la colaboración y no por la rivalidad. De esta forma, las ventajas derivadas de las entidades tradicionales –marca, confianza, base de clientes, estabilidad- se suman a la de las Fintech, que pasan por su capacidad de adaptación a un consumidor cada vez más cambiante y exigente»[8].

Me encanta el término «Centrado en el consumidor» bajo esta idea de darle el poder a quien decide cuándo y dónde gastar su dinero, pero lo que hay detrás es mucho más, pues en los últimos años cada lanzamiento trae una fuerte carga de UX y de UI. ¿De qué?

¡Calma! Aquí vienen las definiciones.

---

8 https://www.tendencias.kpmg.es/2017/12/fintech-y-banca-tradicional-de-la-mano-para-liderar-la-transformacion-del-sector/

UX (User Experience)

El diseño UX hace referencia a lo que experimenta el usuario antes, durante, y después de entrar en contacto con un canal remoto tipo web o app. Aunque esta experiencia no depende solamente del diseño, sino que implica lo que representa una marca y lo que hace sentir a sus usuarios.

El equipo de UX es como un psicólogo, ya que la experiencia de usuario está fuertemente ligada a la manera de ser de las personas. El equipo buscará todas las formas posibles para facilitarle la vida al usuario, y para eso hay que considerar algunas actitudes ligadas desde el punto de vista psicológico.

UI (User interface)

La interfaz de usuario o UI es el conjunto de elementos de la pantalla que permiten al usuario interactuar con un canal remoto tipo web o app.

O sea que no solo se trata de buenas ideas, buenos deseos, o simples ocurrencias a la hora de lanzar un producto Fintech; el trabajo que conlleva persigue a toda costa su éxito, teniendo por detrás métodos, estudios, análisis, muchas pruebas, y cualquier cantidad de errores. Lo más gracioso es que ni con todo esto se garantizan ventas exorbitantes o una penetración de mercado enorme, pues hay un par de factores que pueden hacer la diferencia según el mercado objetivo y el perfil del consumidor:

1. El modelo de servicio en una Fintech
2. El perfil de quienes hacen grata o "non grata" la experiencia del servicio.

El modelo de servicio

Toda la experiencia al contratar cualquier producto o servicio con una Fintech es 100% online, pues tener sucursales no es parte de su modelo. Esto lo podrás hacer desde un sitio web o desde una app, incluso la firma de contratos ya no es autógrafa sino completamente digital, el envío de información es por correo, si hay una tarjeta de por medio esta será entregada en tu domicilio y cuando requieras una duda o aclaración, tendrás diferentes canales para encontrar o solicitar una solución como:

- Preguntas y respuestas en el sitio web o app
- Correo electrónico
- Chatbot
- WhatsApp
- Formulario con tus datos
- Mensaje directo por medio de diferentes redes sociales
- Contact center (varía según el servicio)

También tendrás la oportunidad de evaluar el servicio en varias ocasiones y momentos, pues la escucha del cliente es su prioridad

Retos del modelo - El deseo de la omnicanalidad
Ofrecer una experiencia del cliente omnicanal es fundamental para estar a la altura de las necesidades en la actualidad.

Cada cliente quiere poder contactar con la empresa a través de cualquiera de los canales arriba mencionados que estén utilizando. No se le debe obligar a cambiar de canal para ponerse en contacto.

Sin embargo, si deciden ponerse en contacto a través de un medio y luego pasar a otro canal, debe ser posible que continúen su interacción sin problemas a través de varios de estos sin necesidad de empezar de cero.

El chatbot o los agentes telefónicos deben tener el contexto de las conversaciones anteriores que se lleva a través de todos los puntos de contacto con el cliente, haciendo que su experiencia sea verdaderamente *omnichannel* (omicanal).

La combinación de canal remoto y canal humano

Es posible que algunas Fintech se sientan tan seguras de haber diseñado un producto o servicio tan sencillo de obtener y de utilizar, que pueden olvidarse que el servicio a posteriori debe ser sumamente eficiente para mantener esa promesa de sencillez y fácil acceso. Habrá ocasiones donde incluso mucho UX y mucho UI no podrán competir con la urgencia que tenga el usuario por realizar su operación y la molestia de no poderlo hacer. Además, aunque muchas personas por arriba de los 50 o 60 años ya se encuentran subidas cada vez más en la ola tecnológica, en más de una ocasión las preguntas frecuentes o la programación de los chatbots se quedarán cortas cuando exista la necesidad de plantear en las palabras del consumidor y no necesariamente las de la empresa, alguna duda o aclaración a otro ser humano, por lo que ninguna Fintech debería brindar solo servicio virtual sin tener a un agente disponible con el cual, según sea el caso, se pueda conectar. El dinero no siempre está en las personas más jóvenes o con mayor orientación tecnológica; en más de una ocasión estará con las generaciones que van más adelante en cuanto a edad.

¿Cuál es el perfil ideal para brindar una experiencia positiva a los clientes de una Fintech?[9]

1. Búsqueda de aprendizaje continuo
2. Fuerte orientación al cliente para hacerle la vida más fácil
3. Sin miedo a equivocarse

---

9 https://www.expansion.com/emprendedores-empleo/empleo/2017/12/29/5a-46812b268e3ef92d8b465c.html

4. Capacidad de ofrecer servicios diferentes, ser disruptivos
5. Adaptación al cambio
6. Paciencia
7. Perseverancia
8. Trabajar en equipo
9. Trabajar sobre indicadores clave (KPIs)
10. Laborar en Home Office o en un esquema híbrido

Cerrando

Apreciable lector, si llegaste a estas líneas es porque logré compartir contigo algo que te pudiera interesar para conocer más sobre un sector como es el de Fintech, el cual viene creciendo a un ritmo constante, marcando tendencias, pero además asumiendo una cantidad importante de retos para lograr su consolidación. Están las serias, bien constituidas, que se han ganado su reputación y que van por el camino del desarrollo, habrá algunas más que sigan en una etapa muy temprana y a las cuales hay que seguir, y existe un segmento más que llamaré Pseudo Fintech que no necesariamente cumple todos los requisitos para nombrarse Fintech, por lo que deben tratarse con las debidas reservas.

A manera de reflexión, la tecnología sirve para hacernos la vida más fácil pero no necesariamente es para todos; lo mismo sucede con los productos o servicios financieros que comercialicen tanto las Fintech, como los bancos o incluso otros servicios financieros auxiliares, pues todo estará en función de lo que a ti como dueño del dinero te permita sacar el mejor provecho y obtener tanto el mayor valor como la mejor experiencia. La decisión es 100% tuya.

EXPERIENCIA DEL CLIENTE (CX)

Rocío Guerrero Zepeda

Semblanza: Rocío es Licenciada en Contaduría y pasante de la Maestría en Finanzas, egresada de la Facultad de Contaduría y Administración de la UNAM. Durante 25 años ha aplicado su conocimiento profesional al sistema financiero, dedicando los últimos 10 años a comprender y trabajar en los diversos aspectos de la Experiencia del Cliente.

Casada y madre de dos hijos, es una apasionada de su familia y de su trabajo. Disfruta pasar su tiempo libre realizando actividades familiares o leyendo un buen libro.

Intención: El objetivo de este escrito es dar a conocer la situación actual, así como los retos presentes y futuros que enfrenta la Experiencia del Cliente. Espero que después de leerlo puedas reflexionar acerca de tus propios retos y que identifiques las herramientas que podrían serte útiles para enfrentarlos de la mejor manera posible. Te deseo mucho éxito en este apasionante camino.

DETRÁS DE CADA CLIENTE...
MIL RETOS

—— 66 ————————————————————

«Todos los clientes merecen experiencias memorables, es nuestra responsabilidad hacerlas realidad»

— **Rocío Guerrero Zepeda**

————————————————— 99 ——

En los últimos años, el concepto de Experiencia del Cliente se ha convertido en un tema de moda. Afortunadamente, las empresas han entendido que poner al cliente en el centro de todas sus acciones y decisiones es sumamente importante y genera una espiral de beneficios no sólo para el cliente, sino para la misma empresa.

Antes de platicar de los retos quiero empezar incluyendo algunos conceptos de «Customer Experience» o Experiencia del Cliente:

La Asociación para el Desarrollo de la Experiencia del Cliente la describe como: «el recuerdo que se genera en la mente del consumidor como consecuencia de su relación con la marca». Por otro lado, para Qualtrix es: «la forma en la que el cliente percibe la marca, dependiendo de cómo haya sido su exposición total a ella».

Actualmente, en todas las empresas se habla de Experiencia del Cliente como una prioridad, sin embargo, su adopción requiere un cambio cultural, empezando por los líderes, quienes deben estar genuinamente comprometidos y convencidos de que brindar la mejor experiencia es tan importante como las ventas mismas. A su vez, también tienen la responsabilidad de permear esa cultura a lo largo de toda la empresa y asegurarse de la contribución e involucramiento de todas las áreas.

Uno de los retos que enfrenta México es la inexistencia de planes de estudio enfocados en este importante pilar de las organizaciones. Su enfoque actual está principalmente dirigido a enseñar a los futuros profesionales cómo gestionar recursos, incrementar ventas, maximizar rendimientos y disminuir costos, entre otras cosas, pero dejan fuera la gestión de la Experiencia del Cliente, que genera beneficios importantes como: atracción de nuevos clientes (lo que contribuye a su crecimiento), mayor rentabilidad y permanencia o lealtad, publicidad gratis (por su recomendación) y un mejor posicionamiento de la marca.

Un ejemplo de formación exitosa en temas de Experiencia del Cliente lo constituye el Disney Institute, creado en 1996 para capacitar a todos sus empleados y que actualmente recibe a trabajadores de otras empresas para complementar su formación. En sus cursos de atención al cliente, se enfocan en el cuidado a los detalles, lo cual les permite maximizar las oportunidades de superar las expectativas de los consumidores.

En México, los responsables de las áreas de Experiencia del Cliente nos hemos formado a través de los años con la experiencia adquirida en nuestras labores diarias. No recibimos una educación diferenciada, ni un manual o instructivo con la explicación de cómo diseñar programas que influyan en la cultura del negocio para lograr un cambio significativo en todos los colaboradores. Sin embargo, cada vez es más frecuente que las empresas incluyan la visión del cliente en sus objetivos, lo cual facilita nuestra labor.

Se suele asociar una buena experiencia con un buen servicio, pero en realidad va mucho más allá; no basta con que el cliente reciba una sonrisa y un trato amable (aunque ambos son indispensables). Se requiere una planeación completa (de principio a fin) de la experiencia que deseamos brindarle y ésta debe ser sencilla, agradable y eficiente. Expresaré la idea a través de un ejemplo:

Piensa en el cumpleaños de un buen amigo; has decidido invitarlo a comer a un restaurante para festejarlo, para ello te preparas, investigas cuál lugar podría gustarle, haces una reservación, y esperas que todo salga muy bien y que disfrute al máximo lo que has preparado para él.

Ahora pregúntate lo siguiente:

¿Sería suficiente que la persona en la entrada te recibiera con una sonrisa y que tu mesero fuera amable?

¿Qué pasaría si no hubieras podido hacer la reservación o si no respetaran la que hiciste?

¿Te molestaría que te asignaran una mesa en un lugar con demasiado ruido?

¿Qué tan tolerante serías a tener que esperar demasiado tiempo para recibir tus bebidas o si tus alimentos llegaran fríos?

¿Te fijarías en la calidad y precio de los mismos?

Como puedes ver, la experiencia es muy compleja, intervienen demasiados factores y actores; que todo resulte perfecto depende de que cada eslabón de la cadena de valor funcione de manera adecuada y perfectamente sincronizada, y cualquier falla puede afectar la experiencia en general.

La Experiencia del Cliente considera varios pilares importantes:

- Servicio diferenciado. Cuando una empresa ofrece productos similares a la competencia, con precios dentro del mismo rango, lo único que puede diferenciarla y hacerla más atractiva es la calidad en el servicio.

- Apoyo de los líderes. La prioridad de la empresa debe incluir una sólida estrategia de Experiencia del Cliente y debe ser impulsada y difundida por sus más altos niveles para que se entienda su importancia.
- Cultura empresarial. La estrategia de Experiencia del Cliente no será exitosa si no involucra a todos los colaboradores. Ya hemos visto que el trabajo de cada uno de los participantes en la cadena de valor es indispensable para la obtención de un buen resultado.
- Gestión de Experiencia del Cliente. Consiste en identificar las áreas de oportunidad y trabajar para mejorarlas o corregirlas.

  Para gestionar la Experiencia del Cliente, es necesario escuchar su voz y medir su satisfacción y qué tan dispuesto estaría a recomendar el servicio recibido. Se puede obtener esa información aplicando diferentes encuestas de CSat (Customer Satisfaction) o NPS (Net Promoter Score).

Para brindar una Experiencia del Cliente exitosa, se utiliza el Customer Journey Map, que es una herramienta de Design Thinking que busca identificar las interacciones con el cliente en cada fase o etapa del journey (travesía), así como los canales que pondremos a su disposición de principio a fin. Esto nos permitirá identificar las posibles fallas o los momentos en que nuestro servicio requiere un mayor esfuerzo por parte de los clientes para trabajar en ellos y corregirlos o mejorarlos.

El mapeo de journeys nos ayuda a conocer el comportamiento y las actitudes del cliente cómo interactúa con nosotros en diferentes etapas y qué busca en cada una de ellas.

El ciclo incluye las siguientes etapas:

1. Creación de la "persona". Consiste en entender cuáles son las características de los clientes a los que deseamos llegar

y debe incluir: nombre, edad, rol o trabajo, estatus familiar, objetivos profesionales y personales, entre otros. Se debe crear una "persona" para cada mercado objetivo identificado.

2. Elegir el journey que se desea mapear, ya sea nuevo o uno existente que requiere mejoras.

3. Mapeo del journey. Para completar esta fase, es necesario identificar a todas las áreas involucradas en el mismo, así como determinar cada una de sus etapas, cuáles son los sentimientos y emociones del cliente, cuánto esfuerzo debe invertir y cuáles son sus necesidades y expectativas, evaluar qué está funcionando de manera adecuada y qué debemos corregir, además de medir qué tanto estamos cubriendo sus necesidades y si lo estamos haciendo de la mejor forma posible.

4. Rediseño del journey. Este es el momento para solicitarle al equipo que utilice su creatividad para proponer ideas factibles que puedan aplicarse para mejorar la experiencia del cliente.

5. Evaluación de resultados. Es indispensable realizar mediciones posteriores a la implementación del nuevo journey para identificar si los cambios fueron bien recibidos por los clientes.

6. Mejora continua. Se debe monitorear la satisfacción del cliente, las innovaciones en los journeys de la competencia y evaluar las posibles mejoras que se pueden realizar de forma permanente.

Los clientes se han vuelto cada vez más exigentes, porque tienen a su alcance medios que les permiten comparar y elegir entre varias opciones. Las empresas tienen la responsabilidad de diseñar una experiencia memorable que tome en cuenta todos los puntos de interacción con ellos. Algunos de los conceptos a considerar son:

1. ¿Cómo llegar a los clientes? Como platicamos anteriormente, el diseño de un journey exitoso debe iniciar desde que el cliente tiene una necesidad y busca cómo satisfacerla. La oferta de nuestros productos o servicios debe estar disponible a través de diferentes medios.

   Para decidir cuál utilizar, es necesario tener muy bien definido a qué clientes queremos dirigirnos e investigar cuáles son sus edades, así como sus costumbres y medios favoritos. La información proporcionada debe ser completa, clara, sencilla y sobre todo transparente.

   Este primer paso es muy importante porque contribuye de manera significativa a crear una expectativa del producto o servicio que estamos ofreciendo. Adicionalmente, debemos asegurarnos de presentar información consistente en todos los medios para evitar confusiones y pérdida de credibilidad.

2. Necesidades de los clientes. No es posible crear o rediseñar un journey sin entender qué es lo que necesita el cliente en cada uno de los puntos de contacto y cuál es su expectativa.

   Recuerda que no basta con poner en las manos del cliente el producto o servicio contratado; se trata de ofrecerle una experiencia memorable en cada etapa. Por ejemplo: cuando nos contacta para obtener información (a través de cualquier medio), cuando le vendemos el producto o proporcionamos el servicio, cuando comienza a utilizarlo, etc.

3. Comunicación. No olvides mantener un canal abierto de forma permanente para aclarar cualquier duda del cliente, para recordarle los beneficios a los que tiene acceso y cuáles son sus responsabilidades por el uso del producto o servicio.

4. Venta o prestación del servicio. Esta etapa es una de las más importantes, porque es el momento de la interacción

directa con el cliente, ya sea face to face (cara a cara) o a través de algún canal telefónico o digital. Podría representar un "momento de la verdad" en el journey, generando una emoción positiva o negativa, que repercutirá en lo posterior.

Un factor indispensable en este momento es la escucha activa, para demostrar un interés genuino en sus necesidades. Nuestra responsabilidad es ayudarlo a obtener lo que desea, de la mejor forma posible; por ello es necesario asesorarlo de forma objetiva (el propósito no solo es vender, sino lograr que el cliente se vaya satisfecho con el producto o servicio contratado o recibido).

Utilizar técnicas para validar que el cliente entendió los beneficios, responsabilidades, costos y riesgos del producto o servicio contratado puede ayudarnos a asegurar que lo que está contratando es realmente lo que necesita.

5. Servicio posterior a la venta o contratación. Esta etapa es tan importante como la anterior, ya que representa el momento de acompañar al cliente en su caminar con nosotros. Cuando no ponemos en sus manos canales eficientes de atención, podemos generar enojo, frustración y decepción. Cada interacción que tenemos con él representa una nueva experiencia que debe ser diseñada de principio a fin. Una respuesta rápida y eficiente puede contribuir de manera positiva en la Experiencia del Cliente.

6. Mejora continua. No importa lo bien que lo estemos haciendo, siempre podemos hacerlo mejor. Para ello es necesario tener un pensamiento autocrítico que nos permita buscar mecanismos para escuchar a nuestros clientes. No debemos olvidar que nuestro objetivo no es solo lograr su lealtad, sino que también nos recomienden. Walt Disney decía: «Haz lo que sabes hacer tan bien que tus clientes querrán volver y traer a sus amigos para verlo otra vez».

Cuando realices cambios a tus journeys existentes, comunícalo. Los clientes deben saber que los escuchas y que estás trabajando de forma permanente para brindarles la mejor experiencia. Si fallamos en su última experiencia y no les dejamos saber que hemos cambiado, será muy difícil que nos den otra oportunidad.

Seguramente te preguntes si un journey bien diseñado puede asegurarte el éxito. Sin embargo, como platicamos al inicio de este capítulo, la experiencia de los clientes se basa principalmente en su percepción; por ello es tan complicado homologar el nivel de satisfacción.

Hay que recordar que la percepción es subjetiva; cada persona reacciona de forma diferente a los estímulos externos recibidos, por lo que podemos tener dos evaluaciones completamente diferentes para un mismo servicio.

La opinión no solo cambia entre diferentes clientes. Incluso tú puedes tener diversas percepciones cuando cambian tus circunstancias personales. Te invito a hacer un ejercicio: cuando realices un trámite que te parece engorroso, consulta tu reloj al iniciar y no vuelvas a verlo hasta que hayas concluido. Antes de verlo, evalúa cuánto tiempo crees haber esperado para recibirlo; te darás cuenta de que tu estimación es mucho mayor a la realidad. Haz ese mismo ejercicio cuando estés pasando un momento divertido o relajado con tu familia o amigos y podrás observar el efecto contrario; el tiempo invertido es mucho mayor al que estimas.

De acuerdo a lo anterior, podrás apreciar que la Experiencia del Cliente no solo depende de la empresa que está brindando el servicio; también depende de él, de su estado de ánimo, expectativa, tiempo y esfuerzo que está dispuesto a destinar al trámite o proceso e incluso de su cultura, valores y principios.

Voy a platicarte dos ejemplos:

Quienes nos dedicamos a Customer Experience (CX) hemos observado que, tratándose de evaluar la calidad del servicio, la gente en el interior de la república es normalmente más benevolente, sus comentarios reflejan mayor tolerancia y amabilidad y nos dan a entender que los prestadores de servicios son también más pacientes y están dispuestos a dedicar más tiempo a explicar o conversar con los clientes. En las ciudades, donde la gente vive más acelerada y la oferta de servicios es más abundante, los comentarios muestran menos tolerancia y más exigencia por atención inmediata.

En el segundo ejemplo, voy a hacer referencia a una experiencia personal, que seguramente tú también has experimentado: cuando era pequeña mis papás, tíos, primos, abuelos, y yo acostumbrábamos a salir de viaje juntos. A decir verdad, formábamos un grupo muy grande; recuerdo que llegábamos a los pequeños restaurantes de playa e inmediatamente los llenábamos. Los primeros días salíamos con una mala experiencia, a pesar del buen sabor de los platillos y la amabilidad de los meseros, principalmente porque teníamos la expectativa de recibir una atención igual o similar a la de la ciudad, que incluía tiempos de espera muy cortos desde nuestra llegada hasta la recepción de los alimentos. En su lugar, el personal nos recibía a su propio ritmo, tomando su tiempo para atendernos, siempre con una sonrisa, pero confundiendo órdenes, olvidando peticiones especiales y entregando platillos a destiempo— algunos ya estábamos pensando en el postre, mientras otros seguían esperando su plato principal. Nos costaba un poco de trabajo adaptarnos al ritmo local. Sin embargo, en los últimos días, nuestra percepción cambiaba porque ocurrían dos cosas: los meseros y cocineros ya nos esperaban y adelantaban sus preparaciones para atendernos con mayor rapidez, y nuestra actitud era más tolerante que al comienzo.

Al trabajar directamente con los clientes, es necesario considerar el efecto de la percepción. Debemos entender que todos somos diferentes y nos corresponde ser lo suficientemente flexibles para adaptarnos a sus necesidades; la atención diferenciada (personalizada), puede contribuir favorablemente para obtener una percepción positiva y lograr que los clientes se mantengan con nosotros y nos traigan a sus familiares y amigos.

Tal vez modificar la percepción de un cliente molesto es el reto más complicado, pero al mismo tiempo, representa la mejor oportunidad para identificar y corregir nuestros errores, tal como lo comenta Bill Gates: «Los clientes más insatisfechos son la mayor fuente de aprendizaje».

La retroalimentación recibida a través de encuestas, redes sociales e incluso quejas, puede ayudarnos a conocer qué es lo que realmente les importa a los clientes y qué etapas del journey son las que afectan su emoción, para así poder concentrarnos en lo más relevante.

Las soluciones inmediatas (First Contact Resolution) coadyuvan a superar la expectativa del cliente y disminuir la fricción que pudo haber ocasionado cualquier error cometido durante el journey. Como responsables de la experiencia, tenemos los siguientes compromisos:

- Poner a disposición de los clientes diferentes canales de resolución para que puedan elegir el más conveniente.
- Garantizar amplios horarios de atención.
- Brindar una atención empática, que implica escuchar atentamente la molestia del cliente, dejarlo expresar libremente su opinión, así como explicarle clara y pacientemente las alternativas de solución, utilizando siempre un lenguaje amigable y respetuoso.
- Reconocer nuestro error. En la mayoría de los casos, los clientes que reciben una disculpa honesta y genuina, se

muestran menos molestos y más receptivos a las propuestas ofrecidas.

- Dar solución a su petición, evitando solicitarle un nuevo contacto o enviarlo a otro canal. Si esto último es necesario, debemos explicar con transparencia por qué es necesario, a qué canal debe acudir y qué información o documentos requiere para obtener una respuesta.

Compartir los comentarios de los clientes a todos los equipos involucrados en los journeys es la mejor herramienta para dejarles saber que realizar su labor con calidad es crucial para ofrecer la mejor Experiencia al Cliente. No olvides compartirles también cómo lo está haciendo la competencia; tener una referencia exterior podría ser un motivador adicional.

Al hablar de colaboradores, tenemos que abordar otro gran reto: mejorar su experiencia. Este objetivo no se logra solo con un buen ambiente de trabajo. Hay que considerar factores como: proporcionar buenas herramientas para realizar sus labores, capacitarlos de forma constante, mantener una comunicación eficiente y continua, acceso a soporte inmediato en caso de problemas, así como, compartir claramente los objetivos de la organización y cómo contribuyen al logro de los mismos.

Los líderes deben también dar retroalimentación periódica para reforzar los comportamientos positivos y evaluar en conjunto las áreas de oportunidad, así como, entender aquellos bloqueadores que afectan su experiencia.

La tarea de mejorar la experiencia de los colaboradores se vuelve cada vez más compleja porque están conviviendo diferentes generaciones. Las necesidades laborales de un millennial son muy diferentes que las de un baby boomer o generación X; el reto para los empleadores es buscar un punto de equilibrio en el que todos ellos perciban los beneficios que la empresa puede ofrecerles. Dedicar esfuerzos y recursos a este objetivo se traduce en una importante inversión.

Algunos de los beneficios relacionados a la buena experiencia de los colaboradores son: disminución de la rotación laboral, mayor compromiso y, por lo tanto, mejor desempeño y productividad. Un empleado feliz, leal a su empresa, que conoce sus objetivos y la importancia de su labor, se esforzará mucho más para garantizar una experiencia memorable a los clientes. Jack Welch, antiguo director general de GE decía: «Ninguna empresa, sin importar su tamaño, puede tener éxito a largo plazo sin empleados motivados que crean en la misión y entiendan cómo lograrla».

El último reto del que quiero hablar y que constituye el presente y futuro de la Experiencia del Cliente es el componente digital.

Aunque en los últimos años ya habíamos visto un desarrollo importante de soluciones digitales, la pandemia aceleró notablemente esta tendencia. La imposibilidad de brindar atención a través de medios tradicionales (presenciales), forzó a muchas empresas o negocios que no tenían dentro de sus objetivos realizar operaciones de forma remota, a transformar su tecnología, procesos, comunicación y journeys para adaptarse a la nueva realidad.

Esto mismo ocurrió con los clientes, incluso aquellos de edad más avanzada que se rehusaban al uso de dispositivos inteligentes, tuvieron que aprender a usarlos o a pedir ayuda a los miembros más jóvenes de la familia para poder satisfacer necesidades básicas a través de aplicaciones, mensajes o videollamadas.

Las costumbres de consumo se modificaron radicalmente cuando los clientes encontraron las ventajas del comercio digital: información disponible para poder comparar y decidir, journeys rápidos y eficientes de contratación o compra, asistencia en línea a través de chats, recepción de artículos adquiridos o comida rápida y gourmet a domicilio y hasta consultas médicas a través de videollamadas.

La exposición de los clientes a las herramientas digitales, en las que se obtienen soluciones instantáneas en la palma de la mano, a cualquier hora y en cualquier lugar, ha cambiado sus expectativas, por lo que ahora demandan el mismo nivel de rapidez en todos los servicios. Anteriormente era frecuente que se comparara a las empresas del mismo sector, sin embargo, la comparación ahora es contra empresas como Amazon, en las que el servicio de principio a fin se otorga sin tener que asistir a alguna sucursal y con una excelente atención y respuesta remota a aclaraciones postventa.

Aunque estas opciones digitales podrían considerarse altamente eficientes, no cubren las necesidades de todos los clientes, ya que hay algunos que las consideran no intuitivas, no poseen la tecnología para usarlas o simplemente, porque prefieren encontrar soluciones hablando con personas en lugar de máquinas. Pero ¿las empresas pueden crear tantas experiencias como clientes tienen? Difícilmente podrán hacerlo y ese es uno de los principales retos que tenemos al pensar en el cliente.

Debido a lo anterior, es indispensable que las organizaciones consideren las experiencias omnicanal, es decir, ofrecer alternativas para los diferentes clientes. Podrán concentrar sus estrategias en desarrollar journeys digitales cada vez más eficientes y sencillos, sin eliminar soluciones presenciales o telefónicas para aquellos que aún necesitan ese tipo de atención.

Otro reto importante consiste en equilibrar o encontrar el punto medio entre servicio y prevención. Con la revolución digital y el incremento de operaciones a distancia, también creció la oportunidad de los defraudadores para vulnerar la información de los clientes.

Las organizaciones han tenido que implementar medios de seguridad para garantizar la autenticidad de las operaciones realizadas, sin embargo, los defraudadores están innovando de forma constante, cambiando sus patrones de comportamiento, haciendo muy difícil la identificación de contrataciones de productos o servicios que podrían dañar a los clientes reales.

Esto ha provocado que los journeys sean más complejos, requieran mayor esfuerzo por parte de los clientes y les causen molestia. Sin embargo, entregar productos o servicios no contratados por ellos también puede afectarlos, ya que tendrán que dedicar parte de su tiempo para realizar aclaraciones y esperar respuestas, que en algunos casos no son favorables.

Los clientes también están expuestos a empresas que ofrecen falsos servicios de forma digital. Hace algunos meses, una persona cercana a mí me comentó que rentó de forma remota una casa en una playa mexicana, realizó el depósito del anticipo que le pedían y cuando ella y su familia llegaron al lugar, descubrieron que se trataba de un fraude; el domicilio no existía y les fue imposible localizar al supuesto dueño porque había cerrado sus redes sociales y no respondía sus mensajes, llamadas, ni correos. Finalmente perdieron su dinero y tuvieron que buscar un hotel de último momento para poder hospedarse.

Una experiencia tan mala como la anterior genera desconfianza en las opciones digitales y obliga a las empresas a crear garantías para no perder clientes.

Por último, quiero hablar acerca del reto que implica generar journeys para clientes con capacidades diferentes.

Actualmente, pocas empresas ofrecen productos o servicios diferenciados para clientes con capacidades diferentes, por lo que tienen que adaptarse a lo ya existente, haciendo difícil su interacción en todos los puntos de contacto. Seguramente, la evaluación de su experiencia sea muy mala, porque tienen que dedicar un mayor esfuerzo para obtener lo que necesitan y no reciben el servicio personalizado que requieren. Por ejemplo, hay comercios que solo reciben aclaraciones telefónicas, ¿qué opción dejan a los clientes que no pueden escuchar o hablar?

Afortunadamente, la cultura empresarial se ha modificado; los nuevos journeys contemplan opciones para diferentes tipos de clientes, sin embargo, aún estamos muy lejos de poder ofrecerles experiencias memorables.

Quisiera terminar diciendo que, aunque la Experiencia del Cliente figura ahora dentro de los objetivos estratégicos de las empresas, aún hay retos importantes que debemos superar.

No olvidemos que en algún momento de nuestra vida todos somos clientes y merecemos experiencias memorables.

EXPERIENCIA DEL CLIENTE (CX)

Teresita Meza Quintanilla

Semblanza: Teresita Meza cuenta con más de 25 años de trayectoria en el sector financiero, donde su enfoque ha sido mejorar la experiencia del cliente en la banca de servicios, tanto para personas físicas como para empresas.

Sus funciones a lo largo de estos 25 años comprenden el diseño de estrategias globales, regionales, y locales, todas ellas enfocadas a incrementar los ingresos y la venta cruzada; así como la adquisición de nuevos clientes buscando siempre proveer un excelente servicio. Teresita es apasionada del desarrollo de nuevos productos, de la mercadotecnia, y de la reingeniería de procesos y sistemas de pagos.

Recientemente ha participado activamente en foros de la industria financiera en México, Miami, y Washington impulsando el liderazgo femenino en roles directivos dentro del medio de los pagos a nivel Latinoamérica. Es Contadora Pública, MBA con especialidad en Mercadotecnia, con Diplomados en Liderazgo y Alta Dirección en el IPADE. Mamá de un niño de nueve años con quien disfruta pasar tiempo y apasionada de programas de sustentabilidad enfocados a niños.

Intención: Después de leer este capítulo, deseo que puedas reflexionar sobre la relevancia que tiene la experiencia del cliente en la era digital dentro de las instituciones financieras, proporcionando servicios personalizados, eficientes, y empáticos con las diferencias generacionales.

La información que te proporciona este capítulo tiene como objetivo que conozcas las implicaciones que presentan los bancos en la era digital con el cierre de sucursales y los cambios a nuevos esquemas digitales, dejando un modelo mixto en la interacción humana para los segmentos de individuos y empresas, proporcionando un servicio que garantice a los clientes seguridad en su información, rapidez y facilidad en cada una de las operaciones que realicen.

EXPERIENCIAS ÉPICAS A TRAVÉS DE LA DIGITALIZACIÓN EN EL SECTOR FINANCIERO

> «*Subirse al tren de la era digital es crear experiencias memorables para nuestros clientes*».
>
> **- Teresita Meza Quintanilla**

¿Cómo inició todo en la era digital dentro del sector financiero durante la pandemia?

El COVID trajo un cambio trascendental en la estrategia de los bancos en el modelo de relación con los clientes, generando un avance significativo en la trasformación digital. Sin lugar a dudas la pandemia resultó ser un puente para acelerar el cambio de sucursales físicas a los servicios en línea.

La pandemia ha sido un acelerador de tendencias que estaban previamente entre nosotros, como la digitalización y el aumento del uso de los canales digitales por los usuarios de los servicios bancarios.

Es una realidad que las instituciones financieras desde hace muchos años iniciaron el proceso de cierre de sucursales físicas para reducir costos, sin embargo, considero que el avance no ha sido a la velocidad esperada dado que aún existen clientes que disfrutan ir a la sucursal a realizar sus operaciones.

Durante la pandemia, se aceleró el cierre de sucursales, y los clientes adoptaron una nueva forma de hacer sus operaciones a través de la banca en línea. Hoy los bancos están invirtiendo en digitalización ofreciendo un servicio flexible y con una cobertura de 24/7.

Las brechas generacionales se han adaptado a esta nueva forma de servicio y las personas de la tercera edad anteriormente desconfiaban de la banca digital, pero no tuvieron muchas opciones y se subieron al tren de la banca en línea. Los bancos están aumentando la cantidad de recursos destinados a tecnología para mejorar los servicios financieros en línea con el objetivo final de eliminar la interacción con personas.

Las instituciones financieras deben continuar invirtiendo en el desarrollo digital porque va asociado a la experiencia digital que tienen los clientes. Sin duda la digitalización presenta una gran oportunidad para todas las industrias en la mejora de su relación con los clientes con el fin de ofrecer una experiencia épica omni-canal que dé respuesta a sus necesidades actuales y consiga adelantarse a sus requerimientos futuros.

Es en este momento del camino cuando el cliente ya no tiene que ir a una sucursal física, o llamar por teléfono para realizar sus operaciones, y puede hacerlo desde cualquier lugar (casa, oficina, etc.). La historia se sigue escribiendo y el futuro promete ser aún más rápido y eficiente para todos.

¿Qué es lo que vemos y escuchamos hoy en día?

Hoy la banca tiene grandes desafíos en esta era digital vs. la experiencia del cliente; el entorno se está moviendo rápidamente y el sector financiero se enfrenta a una nueva realidad, considero que existen cuatro grandes retos para afrontar la transformación digital.

- **Usabilidad y concluir con el roce del cliente vs la banca digital.**

Los clientes están esperando que sus operaciones se puedan realizar en plataformas digitales de fácil acceso, intuitivas, y rápidas en su funcionamiento, los bancos buscan que sus clientes sientan esa satisfacción similar a cuando vamos de compras a un centro comercial y que puedan navegar por sus aplicaciones digitales como pez en el agua.

En este sentido, la tecnología asociada con la digitalización abre un sinfín de posibilidades para poder interactuar con el cliente y permitir que interrelacionen entre ellos. Sin duda la tecnología ayuda a tener un sector financiero con más cercanía y de gran proximidad, estando a segundos y no a minutos con los clientes.

- **El cliente debe ser el centro de la estrategia.**

Las entidades financieras deben, más que nunca, poner a sus clientes en el centro de todas sus operaciones para estar a la altura de unas expectativas cada vez más exigentes y ser más eficientes en sus transacciones. Pero, también, en todo lo relativo a la permanencia y ciberseguridad.

Otro aspecto importante es la creación de modelos que ayuden a la distribución de servicios para ofrecerlos en tiempo real, cuando al cliente le hagan falta; además de una conceptualización de productos más avanzada. La banca digital debe pensar en el cliente como el centro de toda la experiencia.

- **Trajes a la medida en productos y servicios financieros.**

Hoy los sistemas bancarios permiten conocer quién es el cliente, en dónde consume, qué le gusta, etc. Tenemos datos con gran valor para poder explotar al máximo, es por ello que podemos ponernos en los zapatos de ellos para ofrecer un traje a la medida. Como utilizan los bancos toda la información que nos brindan los clientes para ofrecerles soluciones que realmente les generen valor y les ayuden a mejorar sus finanzas y su vida personal.

Los bancos tienen que seguir construyendo tecnologías ágiles que puedan ofrecer ofertas interesantes basadas en sus hábitos de consumo, consejos de ahorro a partir de sus patrones de gasto, y alertas de texto ante el riesgo para protección de su patrimonio, asegurando que la transformación digital pueda ayudar a los desafíos de sostenibilidad y de responsabilidad social.

- **Ganarse la confianza del cliente.**

Los clientes están en busca de estabilidad, protección, rapidez, y seguridad en su relación con las instituciones financieras. Por lo tanto, es necesario que todas las decisiones estratégicas estén centradas en ellos para lograr esa confianza y fidelidad.

Un elemento clave es una buena comunicación para generar la confianza de los clientes, ya que elimina sus dudas, les ahorra tiempo, y demuestra que la marca se toma en serio la satisfacción del cliente.

La confianza es el primer paso para construir una relación a largo plazo. Al brindarles experiencias seguras y fluidas en todos los canales, puedes ganar su lealtad a largo plazo.

Estos cuatro retos son elementales en la banca, al «ser digital», implica generar productos para que los clientes puedan interactuar con los bancos sin que las entidades tengan que intervenir en el proceso; lo realmente importante de la transformación digital en el sector bancario es construir operaciones y procesos eficientes, flexibles, y en tiempo real. Es decir, que puedan crear soluciones financieras para hacer negocios de una forma más sostenible a lo largo del tiempo.

Hasta dónde vamos... por el momento.

Como comentaba anteriormente, la pandemia trajo muchos cambios en el sector financiero, sin embargo, gracias a todo esto hubo una transformación digital que estamos viviendo actualmente; para 2023 se espera un crecimiento exponencial dentro de este sector.

En 2023 la banca se debe convertir para los clientes en una experiencia épica donde las transacciones puedan realizarse 24/7 y en segundos, buscando que el proceso sea sin ningún contratiempo en las aplicaciones, incluyendo las sucursales físicas.

El futuro que se vislumbra en el sector financiero es el cierre de sucursales físicas; para muchos ya no estarán cerca, se combinarán algunas pequeñas con otras de mayor tamaño para cubrir un mayor número de clientes, con una mayor personalización de los servicios, relacionando al cliente con el ejecutivo. El siguiente paso será la **onmi-canalidad;** que todas las operaciones se puedan hacer en un solo portal, con ello, por Internet no solo haremos las operaciones actuales, también debe cubrir aspectos como atención al cliente, personalización de servicios, contacto con nuestro ejecutivo, contratación de productos, firma digital de contratos, etc.

Con base a un estudio que realizó **Banca Digital,** se cree que en México el 30% de los adultos tendrá una cuenta bancaria digital a finales de 2022. Señaló que las personas en el país de entre 25 a 34 años tienen un 22% de mayor adopción de la banca digital que los de 18 a 24 años (17%), los de 35 a 44 años (19%), los de 45 a 54 años (19%), los de 55 a 64 años (11%), y los de 65 años o más (15%), no obstante, la adopción en esta materia en los hombres (22%) es mayor a la de las mujeres (13%), por lo que se prevé que estos porcentajes crecerán un 17% más el 2023.

Con estos números vemos que los clientes viven nuevas experiencias en el mundo digital que antes era difícil de creer que lo tendríamos tan cerca, pero hoy ya se convirtió en una realidad. Lo que se busca es que, como hoy en día las personas consultan sus redes sociales, correos electrónicos, etc., los clientes puedan interactuar fácil y rápido en cada una de sus transacciones. Gran parte de esta trasformación es no olvidar esa conexión con las personas porque sin lugar a duda pondría en riesgo la experiencia del cliente, es por ello que se debe cuidar que dentro de la optimización de los procesos se cuide la personalización.

Parte de este viaje épico para los clientes es el *Customer Intelligence*, el cual es una gran ventaja, dado que se cuenta con uno de los más valiosos activos para tomar decisiones sobre los productos y canales de comunicación con los cuales se puede vincular con los clientes. Esta herramienta se adelanta para poder ofrecer productos ad-hoc que van en función del comportamiento y los consumos del consumidor.

El análisis de la información debe ordenarse y correlacionarse para que pueda permitir a los bancos dirigirse de una mejor manera a cada uno de sus clientes, creando soluciones financieras de alto valor que hacen la diferencia y por ende la experiencia del consumidor es sumamente positiva. En 2023, los servicios bancarios deben ir orientados a mejorar la vida de las personas y para ello las entidades deben estar abiertas a realizar una escucha activa permanente.

Por todo lo anterior, conocer y comprender los comportamientos y necesidades de los clientes, generarán a corto y mediano plazo una ventaja competitiva en un mercado cada vez más exigente.

Los bancos deberán seguir aprovechando su infraestructura para adaptarse a una nueva red de sucursales modernas, sostenibles, y rentables que brinden soluciones digitales para la atención híbrida. Es imprescindible la renovación e inversión para poder brindar servicios clave en venta de productos, transacciones en línea, apertura de cuentas, créditos, y sin duda atraer a los clientes no bancarizados.

Innovación y ciberseguridad caminando de la mano.

Regresando a la cotidianidad después de la pandemia, donde los hábitos de los clientes han sido modificados y con la aceleración a los procesos de la banca digital, la estrategia de ciberseguridad debe estar enfocada en dispositivos críticos como los cajeros automáticos, bancas electrónicas y móviles, es prioridad la disponibilidad, maximizando el tiempo de servicio un componente clave.

Nos enfrentamos a situaciones complejas donde las organizaciones cibercriminales están muy estructuradas y con elevados niveles de financiamiento e innovación, por eso los bancos deben actuar con rapidez y por supuesto invertir en sus sistemas de modo que le permitan enfrentar cualquier situación que ponga en riesgo la información de los clientes.

Como mencioné, una parte importante de la banca digital es la seguridad. Todos hemos escuchado de personas que han sido defraudadas por no tener el teléfono a la mano o por ser víctimas de robo, etc. Una de las mayores preocupaciones para empresas y organizaciones de todo tipo, tamaño, y sector es cómo mantener protegidos los datos personales y la información sensible de los clientes que confían en ellas para realizar sus operaciones cotidianas a través de diversos canales y plataformas digitales.

El sector financiero se ha convertido en uno de los principales clientes de los hackers y desde que inició la pandemia, los ataques se han incrementado de manera exponencial;

según los informes del Fondo Monetario Internacional (FMI), se calcula que se produjeron más de 1.5 millones de ciberataques en 2020.

La banca ha realizado grandes esfuerzos para que los clientes puedan realizar una mayor cantidad de operaciones sin tener que salir de sus casas, pero es importante que estén informados para que el uso de estas herramientas sea seguro, de tal manera que no sean vulnerables para que puedan obtener los cibercriminales datos sensibles, usuarios, o contraseñas que pongan en riesgo su información.

Todo lo que operamos en internet es susceptible a ser **hackeable;** bajo esta premisa los clientes deben saber que hoy los ciberataques a través de la ingeniería social (mensajes, teléfono, redes sociales, o correos) lo mejor es que no te gane la prisa por hacer una operación, primero se debe confirmar que la fuente o remitente es la correcta para que puedas tener confianza y así realizar la transacción. Otra forma del robo de la información es la suplantación de identidad; para ello es muy importante que los clientes verifiquen que es el sitio oficial del banco y tener contraseñas con algoritmos complejos y cambiarlas de forma periódica.

Y por último y no menos importante es el robo de la información, por ello los clientes deben contar con un antivirus en sus diferentes dispositivos que aseguren la privacidad de los datos.

La clave de todo esto es no excederse en la confianza porque los grupos criminales toman eso como una ventaja para poder acceder a las cuentas bancarias. Los bancos nunca solicitan información sensible como ID, claves, contraseñas, etc. Es por ello que la ciberseguridad es un componente clave para hacer que la experiencia del cliente sea satisfactoria.

Ahora me gustaría hablar del concepto «innovación» como parte del servicio al cliente dentro del sector financiero en esta era digital. Actualmente, herramientas como chats automáticos o la sección de preguntas frecuentes, entre otras, ya no son suficientes para atender las necesidades del usuario digital, ya que no se trata solo de una tendencia, sino del inicio de la nueva era en la que un usuario tiene diferentes necesidades y facetas.

Derivado de lo anterior, la innovación se convirtió parte esencial del **servicio al cliente** para comprender al usuario, ya sea cliente o prospecto. La innovación va acompañada de lo siguiente:

a. *Inversión para adoptar nuevas tecnologías.* La nueva era digital en los bancos ha evidenciado que sin herramientas no es posible alcanzar una redituable continuidad del negocio, si no se cuenta con innovación e inversión en procesos digitales, los bancos dejan de ser competitivos. Los clientes, cuando están usando las herramientas digitales, deben saber dónde está, ser de fácil acceso, saber a dónde dirigirse dependiendo de la operación tarea que se desea realizar para que una vez que se haga la navegación de manera autónoma, la asistencia o servicio al cliente sea como una última opción para los clientes.

Para lograr esta autonomía de los clientes, se requiere que las herramientas ofrezcan una navegación y experiencia amigable y sencilla.

b. *Comunicación clara y efectiva.* Esto ayudará a que el usuario entienda y tenga una mejor experiencia de servicio que le ofrecen los bancos. Es importante «escuchar atentamente», permitiendo así crear un alto nivel de vínculos con el cliente. Cuando de dinero se trata, la claridad de los mensajes será clave. Por tratarse de entidades financieras, es esencial que la comunicación de los bancos sea lo más directa posible.

Lo anterior aplica especialmente en canales como los **push notifications**, donde el tamaño disponible para el texto es pequeño, por lo que el banco se debe asegurar de que el mensaje principal que se desea transmitir sea conciso y al grano.

c. ***Programa de beneficios para los clientes***. Un cliente feliz es sinónimo de cliente frecuente; y si este es recompensado, el nivel de satisfacción aumenta para que, si solo sea el primer eslabón de una cadena de recomendaciones de boca en boca, lo cual, sin duda, puede llegar a ser bastante positivo para el banco.

Un programa de beneficios/referidos, es una estrategia de ganar-ganar, en donde ellos obtienen recompensas y tú consigues una compra o interacción de tu servicio o producto con una gran probabilidad que se repita esta acción.

Estas son solo algunas recomendaciones de lo que pueden hacer las instituciones financieras con ayuda de la **innovación en el servicio al cliente.**

La transformación digital es un tema que está en boca de todos y es que ha tomado por sorpresa a millones de empresas, colaboradores, y clientes por igual. Las estrategias de innovación y ciberseguridad son claves para desarrollar una experiencia positiva a los clientes.

- ***Más allá de la digitalización con nuevos jugadores.***

Un jugador importante dentro de esta transformación digital son las *fintechs*, quienes han venido despegando rápidamente apalancando a diferentes segmentos de mercado asociado a las nuevas demandas que tienen los clientes y que en ocasiones los bancos no pueden ofrecer los servicios de manera inmediata. Lo que es una realidad es que el sector financiero debe aprender de estos nuevos competidores y mejorar sus procesos. Sin duda una de las ventajas competitivas que tienen las *fintechs* son la agilidad que tienen para poder ofrecer sus productos y servicios, así como la disminución de esfuerzo, tiempo, y costo para los usuarios

La era de la digitalización financiera está dando un giro de 360 grados en su búsqueda por acelerar y adoptar nuevas estrategias verdaderamente orientadas al cliente. Buscan, entre otras cosas, mejorar su *engagement* y la experiencia del cliente. Las *fintechs* por sí solas no dominarán el sector financiero, pero sí serán un contribuyente de cambios en la forma que se llevan a cabo las operaciones bancarias en el futuro a corto y mediano plazo.

Sin lugar a duda los bancos deben lograr adaptarse al cambio en términos digitales para poder entrar en la competencia y hacer sinergia con las *fintechs*. El sector financiero en esta nueva era digital debe entender a detalle las preferencias de tus clientes, podrás ser más asertivo a la hora de elegir los canales de soporte a través de los cuales darás resolución a sus dudas o problemas y respecto de cuál es el momento más indicado para hacerlo.

A partir de esa revolución tecnológica, las apariciones de las *fintechs* también transformaron el sector financiero. Conocidas por ser negocios 100% digitales, emprenden todo el servicio de productos de manera virtual, ofreciendo servicios bancarios a partir de aplicaciones y plataformas digitales.

Hoy, por lo tanto, los usuarios habituados a la conectividad desafían al sector financiero digitalmente en el área de la atención al cliente. Sin duda esa es una óptima oportunidad para que los bancos puedan incorporar nuevas tecnologías a través de servicios que utilizan recursos de automatización e inteligencia artificial.

El cliente, en el centro de la estrategia en la transformación digital.

Hoy los usuarios demandan nuevos modelos de servicios financieros que cubran sus necesidades en cualquier momento, lugar, y desde cualquier dispositivo interconectado con una buena experiencia. Es por ello que el *open banking* pone a los clientes en el centro del sector financiero, se preocupa por conocer sus hábitos, por satisfacer sus necesidades, y por supuesto ofrecer productos innovadores.

La regla es muy simple: cuanto más innovador y abierto sea el banco, más posibilidades habrá de que sus clientes puedan obtener aplicaciones útiles para su perfil. Deben ser aplicaciones intuitivas, y la información debe ser fácil de entender, para que los usuarios puedan tomar una decisión informada.

La navegación debe ser simple y sencilla. No debe haber pasos innecesarios, cargas lentas, o fricciones entre aplicaciones.

La experiencia en aplicaciones terceras debería ser similar a la que ofrece el banco en el que se aloja la cuenta. Es decir, para el usuario no debería suponer más pasos ni mayor fricción que la que experimentaría al gestionar un pago directamente en su propia entidad.

La interfaz debe resultar familiar y fiable para el usuario, que debe poder hacer login utilizando únicamente las credenciales que le proporciona el banco que gestiona su cuenta.

La banca abierta está en constante evolución y, aunque ya se han dado pasos muy importantes, todavía queda mucho camino por recorrer.

Caso real de la era digital y la experiencia del cliente en los bancos.

La era de la digitalización ha hecho cambios trascendentes desde la forma en la que nos comunicamos hoy, donde lo podemos hacer desde cualquier teléfono móvil, computadora, dispositivo, etc. Los pioneros en el uso de la banca digital en los últimos años son los jóvenes ya que lo ven como algo sencillo, de fácil acceso, seguro, y rápido para llevar a cabo sus transacciones y la gestión de sus finanzas. Sin lugar a dudas el reto más grande para la banca digital es para el segmento de la tercera edad.

Recuerdo cuando yo trabajaba en sucursal hace un tiempo y tenía a un cliente que se llamaba Juan Francisco, de 67 años, y después de jubilarse su mayor ilusión era viajar y compartir tiempo con sus nietos y familia. Un día llegó a la sucursal y me compartió que sus hijos le habían regalado un iPhone, le explicaron algunos conceptos como «bajar una aplicación desde la app store», enviar un mail, escribir un mensaje, chatear, comprar, etc.

Al principio para él fue un poco complicado aprender y adaptarse a su nuevo teléfono, pero poco a poco se dio cuenta de que este equipo le daba la posibilidad de poder estar cerca y en contacto con su familia, encontrar información importante, leer artículos, comprar obsequios para sus hijos y nietos, e incluso poder hablar con su banco desde la página web.

Juan Francisco se dio cuenta de que existía una gran cantidad de opciones para una correcta atención virtual que podía encontrar como: chats virtuales, mails (correo electrónico), y redes sociales. Vio que dentro de su correo electrónico podría recibir los estados de cuenta de sus inversiones, saber los saldos y movimientos de sus cuentas, conocer el estatus de sus créditos, y poder revisar todo lo referente a temas contractuales con instituciones financieras. Las redes sociales en su teléfono móvil le permitieron conocer un poco más de los bancos sin compartir información personal y ser vulnerable a cualquier fraude.

Aprendió que a través de los chats o mensajería instantánea podía comunicarse en línea con un ejecutivo que lo asesora en tiempo real para poder contratar un fondo de inversión, realizar transacciones 24/7, etc., y gracias a la inteligencia artificial es posible seleccionar sobre preguntas frecuentes que ayudan a tener la respuesta de manera inmediata y también a través de los chatbots, donde temas recurrentes son contestados automáticamente.

Es claro que para Juan Francisco estas herramientas le ayudaban de manera importante para resolver dudas o preguntas de los productos y servicios que tenía contratados sin necesidad de salir de su casa, y con tan solo un teléfono móvil podía realizar todas sus operaciones bancarias al instante. Hoy los asistentes virtuales por voz ayudan a los usuarios a solicitar información acerca del saldo de su tarjeta, cuenta de cheques, vencimiento de sus tarjetas de crédito, y todo esto basado en programas de inteligencia artificial.

Como Juan Francisco, cada vez son más los clientes que se adaptan a estos nuevos modelos de atención digitales para hacer sus transacciones financieras y encontrar soluciones integrales que cumplan sus expectativas. Considero que las grandes ventajas que tiene la transformación digital son la rapidez, al no tener que desplazarse a ningún lugar para realizar las operaciones, la parte amigable y sencilla, pues la banca digital es mucho más intuitiva y accesible para todos los segmentos, favoreciendo la inclusión financiera, y, por último, pero no menos importante, la seguridad, al contar con mecanismos reforzados para identificación y autenticación de los clientes, como la validación a través de biometrías.

La seguridad se convierte en pieza clave dentro de la banca digital; con el incremento de los ciberataques, las entidades financieras avisan a sus clientes de que nunca se pondrán en contacto para solicitar información personal que pudiera poner en riesgo su patrimonio, aquí la importancia de que las contraseñas y accesos deben ser robustos para evitar cualquier fraude.

Con este ejemplo podemos concluir que una vez que las personas se atreven a dar el paso para conocer el mundo de la banca digital y se sienten cómodos con la tecnología, la adoptan de una manera muy positiva como parte de su día a día.

El valor de la experiencia del cliente en la banca digital

En la actualidad los bancos nos son 100% digitales; la edad de los clientes, los cambios en los modelos de negocio, la inclusión financiera y la seguridad son los principales retos a los cuales se enfrentan las instituciones financieras. Para México, uno de los principales desafíos es la baja bancarización.

En esta transformación digital, la experiencia de cliente cobra un claro protagonismo como medio imprescindible para conectar y conseguir el compromiso de los clientes y la sostenibilidad futura del modelo de negocio bancario.

El primero paso para poder tener un banco digital es definir claramente cuáles son esos procesos asociados a centrar su operación en el cliente para generar un valor en la experiencia.

Un buen primer paso para satisfacer a tus clientes es hacer un buen uso de las herramientas que ofrece el mundo digital, para así personalizar las experiencias que se ofrece a cada uno de los usuarios, acorde a sus características demográficas, de acuerdo con sus hábitos y sus canales comunicativos predilectos. La empatía sigue siendo un componente fundamental en el servicio al cliente, especialmente de cara a los desafíos tecnológicos que muchas personas continúan enfrentando en la actualidad.

La digitalización va encaminada a que la personalización esté en el centro de la estrategia, ya que los canales digitales proporcionan información para adaptar productos, soluciones, y orientaciones a las necesidades únicas de cada cliente, al aprovechar los comentarios y los datos de los usuarios para comprender mejor sus necesidades individuales y mejorar así su experiencia bancaria.

El proceso para poder llevar a cabo con éxito la experiencia digital del cliente comprende cinco etapas fundamentales:

- **Inversión en herramientas tecnológicas.** A medida que los canales digitales van ganando clientes, los bancos deben asegurarse de generar valor a estos canales, con funcionalidades innovadoras que resalten su oferta por encima de otros bancos, para lo que es necesaria una inversión constante en tecnología e innovación digital.
- **Identificación y selección de nuevos modelos de negocio.** La calidad de la ventaja competitiva se puede resumir en orden de excelente a muy mala, por el posicionamiento competitivo de la entidad financiera que se determina si es la «única», la «mejor», o la «más barata», teniendo en cuenta la competencia. Los nuevos modelos de negocio deben basarse en las principales fuentes tradicionales de la banca, los datos e información de clientes, el control de los riesgos y de la seguridad y en un profundo conocimiento del ciclo de vida del cliente.
- **Replanteamiento de los procesos operativos**. El desarrollo de aplicaciones especializadas en transacciones financieras, el creciente uso de las redes sociales para servicios de atención al cliente, y la proliferación de los Contact Centers han permitido el aumento de «bancos sin oficinas», con el consecuente beneficio de reducir costos y eliminar largas filas.
- **Comprensión y re-imaginación del «customer journey».** Este punto consiste en identificar y recorrer de punta a punto los pasos y procesos que sigue el cliente a través del camino que recorre en su experiencia y los puntos clave de

contacto. Se deben priorizar los «momentos de la verdad» como la diligencia que requiere la información bancaria de un causante ante la sucesión testamentaria, o el envío de dinero de un padre a su hijo en el extranjero, o la habilitación de una tarjeta o de un límite de crédito en un viaje internacional.

- **Ciberseguridad.** Reforzar y comunicar las medidas que toman para proteger los datos de los clientes en la banca electrónica. Esta es la principal desventaja que provoca la desconfianza del cliente en este tipo de banca, pues nadie quiere que sus datos privados se conviertan en públicos y afecte a su patrimonio.

La transformación digital no es solo más presencia digital: es consecuencia de una evolución más profunda, que responde al objetivo de optimizar procesos de trabajo. Una verdadera transformación digital debe reinventar de algún modo todos los ámbitos y personas de tu empresa. Además, es importante aceptar que tanto el mercado como tus clientes cambiaron sus necesidades, ¡y todos nos hemos vuelto mucho más exigentes!

En una sociedad en la cual los consumidores buscan facilidad al realizar servicios bancarios, hacer inversiones, o contratar seguros, es esencial que las empresas e instituciones financieras estén preparadas para dar soporte a los clientes con calidad y eficiencia, presencialmente o a distancia.

La banca digital es una realidad que determina las estrategias marcadas por las entidades financieras a nivel mundial. El cliente define sus prioridades, exigiendo una experiencia diferente, inmediata, y digital.

La combinación de ambos mundos, banca digital y experiencia de cliente descubre la experiencia del cliente digital, imprescindible en la actualidad en todos los sectores de la economía, pero particularmente relevante en la construcción del sector bancario futuro.

Los bancos digitales vienen a cambiar el sistema financiero y su burocracia. El mundo está cambiando, y todo se está volviendo tecnológico, por lo que no debemos desconfiar y quedarnos atrás; tenemos que dar un nuevo salto a esta nueva era.

Fin…

SERVICIO AL CLIENTE (CS)

Miguel Uribe Maeda
«El Serviciólogo®»

Semblanza: Miguel Uribe Maeda, mejor conocido por su marca registrada, El Serviciólogo®, es un promotor y un motivador del servicio al cliente en todo México y el continente americano. Mexicano, casado desde el 2003, con 4 hijos. Su filosofía es servir con excelencia, actitud y pasión. Ha sido emprendedor y empresario desde 1993 hasta la fecha, su ADN y trayectoria le permiten ser una persona entusiasta, creativa, trabajadora y servicial. A lo largo de su vida ha superado múltiples situaciones de vida o muerte, crisis familiares y económicas, soledad, depresión y lo ha superado a través de una inspiradora y poderosa decisión: SEGUIR ADELANTE, SEGUIR SIRVIENDO.

Estudió y egresó de la carrera de Desarrollo Empresarial en UNICO U.A.G. en 1997. Cuenta con diplomados en habilidades gerenciales, administración de empresas, comercio internacional, ventas, culturas asiáticas, creciendo en familia y ventas al detalle en el Tec. de Monterrey Campus Guadalajara y el ITESO.

Intención: Despertar la conciencia del valor y del significado del servicio. Motivar al lector a ver el servicio al cliente como la gran oportunidad para confirmar quién eres, apreciar en dónde te encuentras y saber hasta dónde puedes llegar.

Ayudaré a darnos cuenta del potencial que se tiene y se puede lograr sirviendo. Esto requiere de conocimientos, actitud, conciencia y congruencia. En este capítulo, el lector podrá darse cuenta de que puede tener todo para aprovechar al máximo esta gran oportunidad.

EL SERVICIO VENDE; EL SERVICIO ES ESTRATEGIA

> **66**
>
> *«Decidir servir es la decisión para lograr y tener éxito. Servir es el principio y la razón de todo».*
>
> —**Miguel Uribe Maeda, El Serviciólogo®**
>
> **99**

¡Servir no es una obligación, es una convicción!

Me da mucho gusto poder compartirte, enseñarte y motivarte a ver el servicio desde una óptica que te permita encontrar y generar oportunidades, generar valor, significado y lograr trascender en un mundo que exige cada vez más, es muy dinámico, globalmente más competitivo y retador en todo sentido.

El principio y la causa de todo es que sirva, que funcione, que genere o retenga, pero que sirva. Desde el átomo, la célula, los elementos que encuentras en la tabla periódica, hasta las leyes de la física y las matemáticas. Todo tiene una sublime, romántica y estratégica relación y, sin duda alguna, se trata de servir, de que sirva para todo, para que todo esté bien, siga mejor y sea excelente, perfecto.

Hoy más que nunca tenemos toda la información necesaria a un clic, contamos con los conocimientos, recursos económicos, humanos y tecnológicos que nos permiten servir de una manera más productiva, eficiente, responsable en todo sentido, con la sociedad, con nuestro entorno, el ambiente y, sobre todo, bajo una perspectiva de negocios, de una forma rentable.

Servir no debe de ser tan sólo un capricho gerencial, una romántica idea directiva o una nueva y creativa campaña de *marketing* que sólo busque diferenciarte de la competencia y puedas sobresalir en el mercado, sector o industria.

¿Dónde empieza el Servicio?

El Servicio empieza contigo mismo. Nadie puede servir si no se cuida, atiende y sirve a sí mismo. Nadie puede dar o hacer lo que no tiene y lo que no sabe. Ser una mejor clase de persona ayuda en todo. El Servicio empieza contigo, en casa, se manifiesta en el día a día, en la oficina, en el trabajo, en las redes sociales, en las ideas y propuestas, pero lo van a reconocer, lo van a valorar, a apreciar y a pagar los clientes, los consumidores y los usuarios. Aquí es cuando quiero invitar a cuidar y a lograr lo siguiente:

Hacer y lograr que los clientes reconozcan quién eres, aprecien tu talento, valoren tu trabajo, la creatividad, la solución, tu tiempo y la respuesta que brindas a favor de las necesidades, deseos y expectativas de cada uno de ellos.

Todos los cliente podrán:

1. Reconocer quién eres y el valor del servicio,
2. Recomendar a la persona, a la marca, empresa y negocio,
3. Regresar contigo siempre que puedan, necesiten y deseen algo,
4. Y te sigan comprando, recomendando y recontactando.

Para ello, te invito a decidir ser un **serviciólogo**®, un solucionador de problemas y un facilitador de recursos que haga de sus propuestas, acciones y resultados toda una experiencia rentable, productiva y trascendente. Para lograr que el servicio se vuelva tu mejor carta de presentación y que te permita ser único, tener una diferenciación social, profesional y competitiva, necesitarás que tus acciones de servicio sean

Congruentes, Conscientes, Consistentes.

A veces creemos que lo sabemos todo, pero no hacemos mucho o nada. En otras ocasiones, pensamos de cierta forma, pero no sentimos lo mismo, todo es diferente, hablamos de unas cosas y hacemos otras. Es lo que hace que el servicio no se aprecie, por lo general, empezamos muy bien y no lo terminamos como el cliente lo solicitó, mucho menos, le damos un seguimiento puntual, informado y detallado que haga que el cliente se sienta bien atendido.

Todas las personas, es decir, todos los clientes desean, necesitan, esperan saber y sentir que son

Importantes, valiosos, especiales y únicos.

Para ti, para la empresa, para la marca y es aquí donde te invito y motivo a tratarles, atenderles y servirles de una forma que sean espacios, momentos y experiencias únicas INCREÍBLES, INOLVIDABLES y RECOMENDABLES.

Vamos, sé que lo sabes, sé que a veces lo haces, pero sé que se nos olvida rápidamente por todo lo que nos sucede en el día a día: los compromisos, las distracciones, lo operativo, todo nos distrae de una forma que lo esencial se olvida y da la pauta para que la competencia u otras opciones te ganen y te hagan perder todo lo que has logrado hasta este momento.

Evitemos que nuestros clientes internos, externos y digitales tengan un pequeño-gran pretexto para cambiarnos, olvidarnos o traicionarnos por no haberles cumplido, por no haber dado el servicio que prometimos.

Los clientes, las personas y las empresas son cada vez más exigentes, están cada vez más informadas y tienen todas las opciones del mundo. Estoy seguro de que lo único que hará que te busquen, te prefieran y puedas continuar en el mercado será la calidad, calidez y contacto de tu servicio.

Todos podemos dar más o mejor calidad, todos podemos brindar un trato con calidez humana que permita generar más y mejor empatía, todos podremos dar un precio más o menos parecido pero el servicio, la atención, la experiencia y conexión que logres será una pequeña, grandiosa y poderosa diferenciación.

Ahora...

¿Servir se encuentra en tu misión personal, profesional y empresarial?

¿Tienes la certeza de que los clientes, el mercado y los usuarios entienden, aprecian y saben que estás para servir, para ayudarles, aconsejarles y apoyarles?

¿Se tiene la convicción de servir o es una obligación?

Tengamos en cuenta que se trata de cultura, estrategia y actitud de servir. Esto hará que se viva, se respire, se vea, se escuche y se sienta la verdadera intención, se aprecie el Por qué y el Para qué... Que sirva, sea útil, genere, produzca y trascienda.

Decidir servir tendrá que ser una decisión desde el principio, necesita estar en la misión, necesitas tener una convicción plena y total del Por qué y el Para qué que te haga despertar, te motive hacer hasta lo que parece imposible y te haga soñar dormido y despierto.

En este punto, quiero compartirte un par de acronimos personales de la palabra SERVICIO:

S = SABIO
E = EXTRAORDINARIO
R = RESPONSABLE
V = VISIONARIO

I = **INTELIGENTE**

C = **CONSCIENTE**

I = **INTUITIVO**

O = **ORGANIZADO**

S = **SER**

E = **EXTRAORDINARIO**

R = **RESPONSIVO**

V = **VICTORIOSO**

I = **INTELIGENTE**

R = **RESPONSABLE**

Estoy seguro de que, con estos conceptos, el servicio y poder servir será una delicia aun con todos sus bemoles, diferencias o contradicciones. Para poder generar la oportunidad, el valor y el resultado a través del servicio, necesitamos saber y recordar que se necesita ser inteligente, ser buena persona, estar capacitado, actualizado y muy bien informado.

Sé que es un reto, la agenda completa, compromisos que requieren y exigen atención y tiempo, aquí es donde vale la pena recordar que hay herramientas análogas y digitales, metodologías y sistemas que nos pueden facilitar lo necesario para estar a la altura y al nivel de las necesidad y expectativas de nuestros clientes. Podemos hablar y contextualizar el concepto de cliente, antes de esto, te hago las siguientes preguntas:

¿Qué significa un cliente?

¿Qué representa?

¿Cuánto vale un Cliente?

¿Cuánto cuesta ganar un cliente?

¿Qué pierdes cuando te se va o te cambia un cliente?

El cliente, la persona a quien le puedes servir de forma puntual, inteligente, efectiva y eficientemente es el principio de todo. Sin clientes no hay ventas, sin ventas no hay negocios y sin negocios no hay mucho o nada. El cliente presencial, digital, interno, externo, es quien hace que tu propuesta, tu trabajo, tu tiempo, tu talento y tu servicio puedan ser apreciados, valorados y retribuidos de una forma exponencial, o sea solamente retribuido de una forma estándar o promedio.

Estoy seguro de que si decides diferenciarte con tu especialidad, *expertise* y concepto, podrás cobrar y ganar lo que quieres, lo que deseas. Brindar un servicio original, creativo y diferente te dará un distintivo que te colocará en otros niveles y en otros sectores, en otros mercados, en nichos y micronichos que te dará liderazgo en muchos sentidos.

Un servicio con velocidad, personalizado, eficiente, ecológico y un espectacular empaque harán que ese servicio se vuelva experiencia y te dé la oportunidad de ganar mucho más, entre un 25 % y 75 %. Pólizas de garantía de 100 % y las pólizas de servicio te van a permitir hacer más y mejor negocio, retener clientes, mantener contacto y rescatar información relevante de los productos, el servicio y la experiencia que reciben los clientes. Capitaliza cualquier situación en la que los clientes exijan garantía o cumplimiento de atención y servicio.

Algo importante que vale la pena recordar es que jamás subestimes a un cliente, a un prospecto, a la persona. Recuerda que cuando decides servir, todo y todos se convierten en la gran oportunidad que todos siempre estamos buscando para demostrar y confirmar quién eres, de qué eres capaz y hasta dónde puedes llegar.

Ahorrar y ganar, generar y producir, mantener y retener, hacer, estar y ser; eso es servir. Servir no es únicamente ser amable, cortés y hospitalario, es generar el resultado, satisfacer la expectativa, la necesidad, el deseo, el capricho y el sueño. Todos tenemos algo o mucho de todo esto.

Quiero compartir que mi experiencia profesional y empresarial me permite asegurar y constatar que EL SERVICIO VENDE®. El Servicio es la estrategia que va a permitir que todas las áreas de la empresa, de los negocios y las personas tengan cohesión.

Voy a compartir mi humilde opinión de empresas nacionales con un impacto que han demostrado que el servicio vende®:

Grupo Bimbo, Grupo XCARET, ALSEA, FEMSA, Cinépolis, Primera Plus, ITESM, IPADE, entre otras, y podemos apreciar su propósito, calidad y calidez humana, compromiso social y visión de futuro que permite servir en 360°.

El Servicio genera mejores negocios, más utilidades, ayuda a aprovechar al máximo los recursos, a valorar el tiempo de las personas y esto nos permite decidir, trabajar y competir de una manera en la que disfrutamos la carrera, el viaje, la vida.

Servir nos asegura que tendremos mejores experiencias, mejores contactos y mejores amigos.

Ahora, esto puede parecer muy bonito, romántico o soñador, ya que la gran mayoría de las personas estamos más enfocadas y concentradas en la operación, en el número, en el *profit* (utilidad) y dejamos a un lado el perfil, la personalidad, las habilidades, el carácter, el contexto familiar, social, cultural.

Recursos humanos, el área de capital humano, contratación, las agencias de colocación y *headhunters* (casadores de talentos) deben tener hoy más que nunca en cuenta los rasgos que indiquen que cuentan con un ADN, la clase y el nivel de mentalidad, el carácter, la personalidad y la actitud que pueda determinar la huella, el sentimiento y el sello de tu servicio, de tu atención y la experiencia.

Esto ayudará a que puedas servir en todo tipo y clase de situaciones. Desde la aportación de una sencilla idea hasta la solución y respuesta de problemas complejos. Ahora, si no sabes y no puedes, reconoce lo antes posible que no eres la opción, pero que puedes intentarlo, que puedes aprender, que te importa y te interesa. De esta forma, es posible que continúes en la carrera y puedas ganar.

La educación es otra característica de quienes pueden brindar un servicio de calidad, efectivo, porque te recuerdo el siguiente refrán:

«Si sabes, puedes. Si sabes, puedes y sirves, ¡de seguro podrás ganar mucho más!».

La inteligencia artificial, la *data*, la experiencia y el *feeling* siempre ayudarán a que el servicio sea cada vez más efectivo, más rápido, más personalizado e inmediato. Hoy los clientes lo saben todo, están sobreinformados, hiperconectados, son cada vez más exigentes, también intolerantes, volubles y caprichosos, por lo que tienes que darle una lectura asertiva, empática e inteligente a toda petición y expresión de cada uno de los clientes, de las personas.

Trabajar, buscar, esforzarnos, servir con eficiencia, proponer y solucionar son esas características que se necesitan buscar, encontrar y desarrollar.

Hoy es un gran día y una buena lectura para recordar quién eres y te voy a invitar a describir lo mejor de ti, tus características, qué te hace ser una buena persona, qué respalda tu potencial y qué te da las bases de esa gran persona que eres.

De seguro hay Talentos, Cualidad, Virtudes y hasta dones que reflejan y confirman, a través del tiempo y de hechos, tu esencia, tu personalidad, potencial e historia.

Por favor, enfócate en tres cualidades sobresalientes que tú y todos quienes te rodean, con quienes trabajas y convives, puedan constatar y confirmar que es cierto, que las tienes y que así eres.

1. _____
2. _____
3. _____

De estas tres, por favor, selecciona una, con las que más te identifiques... y ahí empieza:

_____

De seguro, con esta cualidad o característica podrás ayudar a que el mundo sea mucho mejor, puedas ayudar más y mejor, puedas apoyar a lograr objetivos y alcanzar metas, pero sobre todo es con lo que puedes servir de una forma especial, diferente y mejor. Apaláncate con esta cualidad, virtud, talento o don y hazla única. Trabaja para ser el especialista, el experto y el referente de una manera sencilla, humilde, sincera.

«Sin gratitud todo será efímero... hasta el servicio».

Hagamos una lista, una lista larga, grande... de cosas, sucesos, situaciones, personas, historias y logros que a lo largo de nuestras vidas podamos expresar y hasta gritar **MUCHÍSIMAS GRACIAS** por todo esto, por todo aquello...

Te confirmo que este sentimiento y esta razón tan poderosa que es la GRATITUD podrá mantener la actitud, el propósito, la visión, el compromiso, la lealtad, la puntualidad, el orden, la limpieza, la sinceridad, el respeto y el amor por las personas, la familia, el equipo, la empresa, la marca, por el cliente. Sin gratitud el servicio será y seguirá siendo un simple proceso, un quehacer o un deber.

La gratitud hará que se tengan diferentes ambientes, tonos, olores, sabores, y sensaciones y resultados que conectan, que facilitan y que permiten mantener la intención, el enfoque y la acción para hacer que esa experiencia de la que tanto y tanto de habla hoy en día sea inolvidable, reconocida y recomendable.

Puedes tener todo, historia, prestigio, nombre, marca, infraestructura, *branding, marketing*, publicidad, sistemas, los productos, los diseños, el talento, a las personas, un inmejorable posicionamiento mediático, hasta utilidades, pero sin gratitud en la persona, en los líderes, gerentes o dueños, todo esto será en vano. La gratitud en algunos casos es un gran escudo; en otros es una gran, útil y resistente palanca.

El poder de la gratitud en el servicio

La GRATITUD es una de las claves para brindar el mejor servicio, la mejor atención y la mejor experiencia. Fomenta, mantén y recuerda todo eso que merece hasta gritar mil gracias: la vida, la salud, la familia, la escuela, el país, el mundo, a DIOS y es en este punto que quiero agradecerte tu lectura, tu tiempo, tu compra. **«SIN CLIENTES NO HAY NEGOCIOS, SIN CLIENTES NO HAY NADA».** Cuenta conmigo, sigamos en contacto, siempre hay un buen pretexto para contactar, para preguntar, para recordar.

Por otra parte...

A nivel mundial, el servicio es y será determinante para el éxito de las personas, las relaciones, los negocios, las empresas e industrias porque ya no dejas el servicio en un solo departamento de quejas, sugerencias o *concierge*, no es una póliza o una garantía, que no sea un eslogan de campaña o temporada, que el servicio sea en todas las personas, sea en todos los niveles, posiciones o departamentos. **TODOS SOMOS SERVICIO, TODOS SOMOS ATENCIÓN AL CLIENTE Y ESTAMOS PARA SERVIR.**

Una política, unas reglas, una misión y visión, unos objetivos y unas metas basadas, fundamentadas y razonadas para servir desde los momentos cero y momentos de verdad hasta el seguimiento y servicio posventa son mi mejor invitación para nuevamente reforzar la trascendencia en todo sentido de tu propuesta, de tu propósito e intención.

También es un buen momento para alinear todo esto con lo que siempre has hecho y como sigues haciendo todas las cosas de siempre.

El servicio también te permite tener el impulso para crear, para innovar, para mejorar, para cuidar y para salvar. Te reitero y te confirmo que decidir servir se tiene que convertir en esa característica única de tu persona, de tu marca y también en esa ventaja competitiva sobresaliente y extraordinaria.

Los enemigos del servicio que harán que no se dé lo mejor y nunca suceda nada son

La ignorancia, la arrogancia, la indiferencia y la distracción.

Te pido que urgentemente controles estas posturas, actitudes o hábitos que, por lo general, van a opacar, a arruinar y a acabar con todo y esto es y significa con todo. ¡Si no sirve, no sirve! Por favor, conecta los puntos que generen valor y significado en tus propuestas, trabajo, ideas y servicio. Te invito a que, a partir de ahora, tengan un mejor tono y un volumen más alto, que emocionen y lleguen al corazón, a lo más profundo de nuestro ser, que nos mantenga a lo largo del día y de la vida el poderoso por qué y para qué.

Advertencia:

No hay varitas mágicas para que de la noche a la mañana o de una junta a otra junta de trabajo pueda cambiar la calidad y el impacto que tiene el servicio, la atención y la experiencia que siempre has generado. Te comparto la siguiente recomendación para poder sustentar y fundamentar tu nueva idea de servicio:

Es conveniente, es lo correcto, es justo y es lo mejor.

¿Para quién?

Para la persona, para el cliente, para la comunidad, para el entorno, para la sociedad, para la familia, para el negocio, para la empresa, para el equipo, para mí.

Lamento compartirte que a veces me encuentro con una sola razón. Es conveniente para los dueños y los socios, pero no es lo justo, no es lo correcto y no es lo mejor para todos. En otras ocasiones, es correcto, es lo mejor, es justo, pero no es tan conveniente, ya que nos afecta a nosotros y a otros, a muchos. Hay muchas personas que brindan una atención sólo por que conviene, parece que es justo, sientes que es lo correcto, pero no se brinda lo mejor, no se da el máximo, no hay excelencia ni se es excelente.

Resulta que hablar de servicio al cliente no es tan solo hablar de buenas prácticas de cortesía, amabilidad y hospitalidad. Es mucho más integral. Si los dueños, los líderes, los jefes encargados o responsables no saben, no entienden y no comprenden el significado de servir y el impacto que hoy en día tiene servir, te aseguro que se perderá mucho tiempo, muchas oportunidades, muchos amigos y mucho dinero, pero lo que más me preocupa y ocupa es que no se pierda la vida.

Para eso estamos, para esto existimos, para servir, para hacer que sucedan las cosas, siempre lo mejor, lo más conveniente, de una forma justa y correcta. Aún es tiempo de recordarlo y no olvidarlo, de enseñar y motivar en nuestro círculo de influencia, nuestra familia, con nuestro entorno, nuestra comunidad, nuestro equipo de trabajo, con nuestros jefes, con el mercado y, en especial, con cada uno de los clientes.

Nuestros clientes no son solo notas de venta, órdenes de compra, números de pedidos, *tickets*, compradores o usuarios... Son personas únicas; con problemas, deseos, necesidades y expectativas muy diferentes una de la otra, tienen caprichos y sueños que le dan sentido y significado a sus vidas. Ayudemos a que la vida sea lo mejor que puede estar sucediendo. Que sea contigo, lector, y no con otra opción.

Tal vez es momento de replantearte para ti qué significa servir, para qué hacerlo y por qué hacerlo. Te garantizo que una vez que reconozcas esto, que aprecies el servicio; el tiempo será relativo, avanzará tan rápido que no se sentirá, las oportunidades, todas, se podrán apreciar y aprovechar, tu estado de ánimo y la salud mejorarán, las relaciones humanas continuarán y trascenderán. De seguro, ganarás ascensos, nuevas posiciones, volarás más alto y llegarás más lejos, lograrás más con menos, ganarás más dinero y, sobre todo, tendrás muchos amigos.

¿Sigues dudando y preguntándote cómo lograrlo, cómo hacerlo, cuándo empezar? Todos en algún momento, en muchos momentos, tendremos miedos, vergüenza, pena al qué dirán, temor al rechazo y, en especial, al fracaso, pero cuando, con sinceridad, humildad, convicción y amor, preguntas en qué puedes ayudar, todo puede cambiar, todo puede ser mejor, todo puede suceder.

Llévate la siguiente tarea: haz una lista de aquellas personas, jefes, maestros, amigos, familia, proveedores, compañeros/as de trabajo y clientes que merecen todas las gracias del mundo.

Seguramente, hay más de tres personas que merecen recodarles que cuentan contigo, que hoy les recuerdas muchas veces; que les aprecias de manera especial y que las quieres.

Un gracias sincero en este momento puede reconectar, puede transformar, puede hasta cambiar el destino, puede hacer una nueva e inolvidable historia.

Puedes decirles y escribirles los siguiente:

1. **Me he acordado de ti. ¿Cómo estás? ¿Cómo va todo?**
2. **¿Hay algo que necesites? ¿Hay algo en lo que pueda ayudar, apoyar o servir?**
3. **No olvides antes de despedirte preguntar y reafirmar: «¿Sabes que cuentas conmigo?» O «¡Sabes que cuentas conmigo!».**

Atrévete hoy, decide servir de una nueva manera, en un nuevo formato que te haga más humano, que te permita ser un mejor amigo, un mejor equipo, una mejor empresa, una mejor sociedad, te firmo que esta decisión te dará un presente y un futuro más prometedor, un mejor estilo de vida, te hará sentir que existes, que eres y que vives.

#decideservir ¡Muchas gracias, hasta pronto!

En caso de que necesiten capacitar, motivar y empoderar al valioso equipo de trabajo, gerentes, vendedores o directivos para poder servir mucho mejor y ganar clientes para toda la vida, en tu empresa, en la de un amigo, un colega o la familia, te comparto mis datos para seguir en contacto: WhatsApp: +52 3314272555, soyelserviciologo@migueluribe.mx

SERVICIO AL CLIENTE (CS)

Coco Villarreal

Semblanza: Coco Villarreal es una profesional de Monterrey, México, que se desarrolla en el área de Sistemas y TI, y su visión holística la aplica al ser un agente de cambio y transformación. Su trayectoria en la consultoría de sistemas por más de 15 años a través de la gestión e implementación de proyectos tecnológicos, ha impactado en el crecimiento y transformación de organizaciones de alto estándar en industrias y áreas como Retail, Manufactura, Educación, y Finanzas.

Como líder consciente, también ha sido invitada en diversas ocasiones para formar líderes de proyectos comunitarios y sociales, así como para participar en programas de liderazgo y desarrollo personal para padres de familia. La misión de Coco Villarreal es inspirar y guiar, y a la vez aportar claridad y acompañamiento en la transformación de vidas y negocios a través de un crecimiento congruente, sostenible, y de valores.

Intención: Mi intención en este capítulo es darte a conocer algunos de los elementos clave y factores relevantes en el éxito del Servicio al Cliente; y también te comparto algunas anécdotas productivas ante circunstancias que están fuera de nuestro control. Este material tiene como base parte de mi conocimiento y experiencia en el área de Sistemas, Tecnología, y Gestión de Proyectos. Mi deseo es inspirarte y empoderarte con algunas posibilidades para que sientas y te des cuenta que eres un elemento y pieza clave capaz de influir y accionar en el éxito de tu servicio a través de la colaboración y desde un estado de alianza en tus relaciones del Servicio al Cliente. Tanto si eres cliente, como si eres proveedor, este capítulo es para ti.

¿CÓMO INFLUIR EN EL ÉXITO DE TU SERVICIO AL CLIENTE?

> 66
>
> *«Tenemos un plan estratégico. Se llama hacer las cosas bien».*
>
> — **Herb Kelleher, fundador de Southwest Airlines**
>
> 99

I. Productiva crisis

¿Te imaginas poder replicar algunas de las estrategias aplicadas en la pandemia que hicieron posible que para muchas empresas y negocios los resultados de sus proyectos fueran como se tenía planeado?

Piénsalo: ¿qué pasaría si aplicas acciones en tus procesos con el objetivo de que tu servicio brille y sea exitoso, y, sobre todo, sin necesidad de que te anuncien una crisis como la de la pandemia que dio inicio en marzo del 2020?

Aquí comienza mi anécdota ...

Recuerdo que, en ese momento, mis colegas Project Managers y una servidora, vivíamos situaciones similares, pasábamos por ajustes e imprevistos en donde se nos avisaba de la necesidad de hacer cambios en los procedimientos que realizábamos en la gestión de proyectos. Esto no pasaba en una sola empresa, sino que era el común denominador en esos momentos en diversas organizaciones.

Derivado de lo anterior, adicional a los riesgos propios de la naturaleza de cada proyecto, era importante integrar un riesgo más, un riesgo que no dependía solo de los líderes de los proyectos, sino de factores externos ajenos a nosotros y a todos los equipos.

Era importante pensar cómo pasar de la sorpresa e incertidumbre a un plan y estrategia de acción inmediatos. Era importante que como Project Managers gestionáramos de la mejor manera posible factores que realmente desconocíamos. Era importante prepararnos, hacer definiciones, y considerar que nuestro plan inicial no era solo temporal, sino que había el riesgo de que se extendiera a un mediano y largo plazo.

Imagina este escenario. ¿Cómo comunicas esto a tus clientes, cuidando y balanceando el prepararles sin alarmarles? Hoy te puedo comentar que fue una experiencia única. Había que hacer cambios en la forma de trabajo y adecuar nuestras metodologías ya probadas y estables.

Todo ello implicaba seguir llevando a la par el cumplimiento de nuestros planes de trabajo y objetivos e integrar los cambios requeridos.

¿Difícil? Sí, definitivamente, aún para los que tenemos años de experiencia en la gestión de proyectos, lo fue.

A pesar de que como sociedad y empleados sabíamos que esa situación de pandemia no dependía de nosotros, había compromisos por cumplir; fechas que si se desfasaban tendrían implicaciones mayores para nuestros clientes internos del proyecto y más aún para los clientes finales externos.

De hecho, hago un paréntesis, para compartirte que para nosotros los consultores y Project Managers, cada cliente es alguien especial, es diferente, es un mundo, una historia, una cultura, y aunque ya tengamos experiencia en nuestra área y metodología, siempre hay algo nuevo por conocer, por adaptarnos, por aprender, y por enseñar. En lo personal, como a mí me encanta el aprendizaje permanente y es algo estimulante en mí, disfruto cada nueva intervención con cada cliente y con cada proyecto. Cierro el paréntesis.

No te voy a decir todo lo que sucedió día a día en esos meses, pero sí te quiero compartir que nuestra forma de trabajo se vio afectada positivamente por nuestro cambio de actitud y de colaboración.

Sí, cada uno de los integrantes cuidó con lupa sus actividades y entregables, sus sesiones virtuales, sus acuerdos, sus compromisos, sus avances. Y después de algunas semanas, la pandemia era ya un integrante que caminaba de lado a los proyectos, silencioso, pero presente.

Este periodo dejó grandes aprendizajes. Y con mucho gusto hoy te puedo comentar que en muchos de los casos que conozco, se tuvieron resultados exitosos y se cumplieron planes y expectativas. Fue un gran reto de grandes lecciones.

Y si de casualidad te estás preguntando por qué te estoy contando esta historia y cuál es la relación con el tema de Servicio al Cliente, pues déjame decirte que precisamente de esta historia podemos sacar unas cuantas perlas de mucho valor para introducir el tema de Servicio al Cliente que deseo compartir contigo en este capítulo.

Vayamos reflexionando un poco, tomando como base esta anécdota que te menciono, y veamos cuáles fueron algunos de los puntos clave de **Servicio al Cliente** para obtener de esta experiencia, una **Experiencia Exitosa**, aún con las sorpresas de la pandemia y sus implicaciones.

Mira, la mayoría de los puntos que te menciono enseguida corresponden a esta anécdota compartida, sin embargo, los resalto porque «casualmente» varios de ellos han estado presentes de una u otra forma en otros proyectos o servicios de tecnología con clientes internos y externos en los más de 15 años en los que he colaborado como líder y Sr. Project Manager. Los identifico como fundamentales para un servicio exitoso y hoy te los quiero compartir.

Anticipación

Anticipación de los posibles escenarios ante una situación sorpresiva, como lo fue la pandemia.

Independientemente del área o tipo de cliente a quien des servicio, es importante que, ante situaciones problemáticas, diseñes una estrategia, y que si llegado el momento lo consideras necesario, tanto a tus clientes internos como externos, les hables de un plan, al menos de una propuesta, es decir, de una estrategia inicial, y no por el contrario que se extienda la incertidumbre en ellos.

Recuerda: es importante que estés atento no solo a los factores internos, sino también a las posibles amenazas externas y que actúes en consecuencia en forma oportuna y asertiva para minimizar riesgos. Revisa y redefine en conjunto con tu cliente lo que sea necesario para que tu servicio sea un servicio de éxito. Ante el caos, anticípate y proporciona tranquilidad a tus clientes.

Flexibilidad

Haciendo una analogía: un carrito de supermercado tiene cuatro ruedas, y aunque tres de ellas giren de manera similar, con que una sola de ellas tenga diferente ángulo, el carrito toma una dirección diferente a la que deseamos, y tenemos que estar haciendo un sobreesfuerzo para empujar y enderezarle. Si las cuatro ruedas apuntan y giran en una misma dirección, cuando este se mueve, todo fluye, aun cuando las circunstancias a veces no son las esperadas.

Recuerda: ante situaciones problemáticas que te rebasen, identifica los puntos de control mínimos indispensables a mantener y aquellos en los que sí se puede dar espacio y ser flexible.

Compromiso

Cuando eres consciente de tu responsabilidad y sabes que eres parte de un ecosistema mayor, y que lo que hagas o dejes de hacer afectará al proceso mayor, entiendes por qué tu participación es clave y fundamental.

Identifica en qué parte del proceso participan tú y tu cliente; por ejemplo, saber si su participación es en el proceso de compra del servicio/producto o bien, si es parte de un equipo ejecutor.

Recuerda: en la cadena de un proceso, el Servicio al Cliente se da en todo el flujo. Regularmente sucede que un cliente también es proveedor de un servicio dentro de la misma cadena. Al final, todas las partes de la cadena son importantes, y lo que provee cada una de ellas suele ser necesario, asimismo, también es clave mantener la buena relación entre ellas para obtener un buen resultado. Ver la Figura 1.1 Servicio al Cliente-Fases.

Comunicación

Hoy en día, es muy importante la claridad en la comunicación para identificar las expectativas del cliente. Urge conocer si esas expectativas que plantea son necesarias o son expectativas deseables. En mi experiencia, el cliente te agradece que seas claro, que le compartas si hay en puerta algún riesgo, y desde luego que le acompañes en la búsqueda e implementación de soluciones

Recuerda: a tu cliente le gusta estar informado. Si hay buenos resultados, compártelos, festeja; y si hay problemas o desfases, infórmalo y acompáñalo, planteándole propuestas de solución. Tu cliente te lo agradecerá y quedará encantado.

Apertura, humildad, y confianza

En esta anécdota que te comparto, más allá de las jerarquías y estructuras, los clientes apreciaban el profesionalismo y acompañamiento. Sabían que todos los involucrados en los diferentes equipos y proyectos estábamos comprometidos para que el resultado de esta experiencia fuera de éxito. Y allí está otra clave, *toma nota*, quienes estaban en los comités de toma de decisiones, más allá de presionar o juzgar, estaban listos para abrir caminos y facilitar al equipo lo que era necesario. Asimismo, nuestros clientes se permitían ser guiados, confiaban, y eso facilitó enormemente los avances y resultados.

Recuerda: asegúrate que tu cliente comprenda los escenarios que se presenten y su poder de accionar asertivamente, acompáñale, prioriza en conjunto con él, y ejecuta.

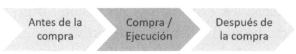

Figura 1.1 Servicio al Cliente - Fases

Definitivamente, estos cinco puntos que te mencioné corresponden inicialmente a quien ofrece el servicio, pero ¿sabes qué? Si tú eres cliente, déjame decirte o quizá recordarte que tú también tienes el poder de influir para que tu experiencia sea grata y exitosa. ¿Y cómo se hace esto? Simple: participa en tu experiencia al 100%, y mantén tu apertura y entusiasmo durante todo tu proceso.

Sí, así es, suele pasar regularmente que tu proveedor o prestador de servicios tiene la mejor disponibilidad y desea que tu proyecto o servicio sea exitoso, sin embargo, parte de esa magia de que suceda lo extraordinario la tienes tú, y lo logras cuando aportas tu participación como cliente al 100%. No hablo de un 100% de tiempo, sino de un 100% de actitud ganadora, de apertura y asertiva; en pocas palabras, un 100% de actitud de colaboración y compromiso.

Desde luego quien otorga el Servicio al Cliente, es quien inicia y monitorea que lo necesario se cubra, sin embargo, si tú eres cliente, el saber estos puntos accionables te ayuda a que tú también tengas la posibilidad de alinear tu proceso, o bien, como caso extremo, a ajustar tu dinámica y toma de decisiones para evitar que haya sorpresas tardías en tu servicio.

II. Servicio al Cliente es un proceso cíclico

La experiencia del cliente incluye el proceso completo, integrando los procesos anteriores y posteriores al consumo o servicio. Te explico:

- **Antes del proceso de compra**, hay un deseo y un proceso de búsqueda de ese producto/servicio que cubra la necesidad y cumpla expectativas.

- **Durante el proceso de compra**, se realiza en sí la compra y la serie de pasos o actividades para la implementación y uso del producto o servicio.
- **Después de la compra**, suele pasar que las experiencias inolvidables se compartan. Asimismo, surge el deseo de generar/consumir otra posible experiencia de éxito.

Si durante el proceso has visto que para tu cliente hay otras oportunidades de valor que le puedas proporcionar, ten presente que esto podría ser el inicio de un segundo ciclo de tu servicio con ese cliente.

Figura 2.1 Macro fases en el Proceso de Servicio al Cliente

Ahora pasemos a los factores que impactan principalmente a las relaciones.

III. Factores que impactan en la relación y éxito de Servicio al Cliente:

- **El Servicio al Cliente es un ente vivo.** Cuida a tu cliente durante todo el proceso. Haz lo necesario para que la comunicación *cliente-proveedor* sea una alianza, y no solo una transacción o contrato temporal.
- **Estrategia alineada**. Alinea las propuestas y estrategias con tu equipo o colaboradores antes de presentarlas a tu cliente. Eso te ayuda a identificar alternativas factibles y no factibles. Tu cliente percibirá que «hiciste tu tarea».

- **Promesas.** Cumple tus promesas. Cultiva la credibilidad; es la base de la confianza. Y si por alguna razón hay cambios, explícalos y asegúrate de que tu cliente lo entienda y que esté de acuerdo ante redefiniciones.
- **Resolución de los problemas.** Escucha a tu cliente, y resuelve las situaciones lo más temprano posible. Cuida ser claro y no crear falsas expectativas.
- **Retroalimentación oportuna.** Asegúrate de que se dé una retroalimentación bilateral en forma periódica, no esperes hasta el final. Sé congruente en el pedir-dar.
- **Comunicación asertiva.** Comunícate en tiempo y forma; si ves que algo no está generando las expectativas esperadas o acordadas, coméntalo y hagan en acuerdo los ajustes requeridos. Elimina las generalidades y ambigüedades. Evita el uso de «siempre», «nunca», o «todos», ya que raramente la realidad es así, y en lugar de esto, proporciona referencias de hechos concretos. De esta forma se entenderá mejor el mensaje y se dará paso a abrir nuevas posibilidades de solución.
- **Servicio personalizado.** Cada cliente tiene características y culturas diferentes. Conoce estos contextos y considera esto en las soluciones que presentes y en la forma de comunicarte.

¿Cómo lo hacen las grandes marcas?, ¿qué toman en consideración que logran tener un servicio de 10? En nuestra siguiente sesión te comparto un ejemplo.

IV. Los colaboradores, piezas clave en la satisfacción del cliente.

La marca *Virgin Group* ha dado lugar a más de 400 empresas en todo el mundo en sectores de viajes, turismo, telefonía móvil, banda ancha, medios, finanzas, conservación, y salud, entre otros.

Richard Branson es el multimillonario empresario fundador de esta extraordinaria marca, y hay una frase que llama mi atención, la cual es: «*Cuida de tus *trabajadores y tus trabajadores cuidarán de tus clientes*».

*En lo personal me gusta utilizar el término «colaboradores» en lugar de «empleados» o «trabajadores».

Esta frase de Richard Branson me gusta porque denota que todos los que participan en un proceso de un servicio son pieza clave. Y en mi experiencia, te lo puedo confirmar, por ello te comparto las tres acciones clave relacionadas a esta frase para que tu Servicio al Cliente sea exitoso:

- **Selecciona personas con la actitud adecuada.** Virgin es muy selectiva y los trabajadores seleccionados son competentes, empáticos, optimistas, y comprometidos con ofrecer un Servicio al Cliente que sea especial. Luego se aseguran de que desarrollen las capacidades para realizar su trabajo.
- **Anima («empodera») a tus empleados a hacer que cada experiencia de tu cliente sea excelente.** Una vez que seleccionas y contratas a los mejores, fórmalos y capacítalos, y anímales a utilizar su creatividad para resolver problemas.
- **Diviértete.** Como criterios de selección, Virgin busca personas que sean inteligentes, capaces, entusiastas, y con un sentido del humor. Richard Branson aprovecha cualquier ocasión para divertirse con el personal de la compañía, y con los clientes.

Adicionalmente las siguientes dos acciones complementarias también te pueden ayudar:

- **Da la vuelta a las cosas.** Un buen negocio no tiene por qué ser innovador. Hacer algo que ya existe de una forma mejor puede asegurarte un negocio rentable.
- **Provoca cambios positivos.** Cuando crees un negocio, piensa de qué manera va a afectar a la vida de tus clientes. Tiene que ser algo que impacte de forma positiva, así seguro que sale bien.

Fuentes: Webs CNN en español y revista Forbes

Ahora bien, sabemos que si deseamos mejorar algo, es importante hacerlo medible, pues bien, enseguida veremos cómo se ha comportado el Servicio al Cliente en México en los dos años que más afectó la pandemia.

V. Estadísticas de Servicio al Cliente

Te comparto algunos resultados y estadísticas interesantes de la reacción de algunos sectores ante la pandemia. Este estudio sobre la Excelencia y Experiencia del Cliente fue realizado en el 2021 por KPMG en México (*Fuente: Web home.kpmg* México).

- El sector de autoservicio en línea tuvo un incremento de 4.1% en la experiencia del cliente. Esta reacción responde a una rápida adaptación.
- En la industria de servicios financieros, los servicios de banca y de pago fueron de los sectores con mayor reacción ante la pandemia.
- Entre los de menor reacción están las papelerías y servicios de agua. Tuvieron interrupciones y aplazamientos de entrega, y sufrieron una disminución en la experiencia. Se sobrepasó su capacidad de logística y resolución de problemas.

- Los sectores de servicios móviles, cable, y TV reflejan un decremento en la experiencia, por las nuevas formas de compra y trabajo a distancia, y que empezaron a utilizar de otra forma los canales digitales.

Este estudio también nos muestra el Top 10 en el Salón de la Fama.

1. Holiday Inn , CEE 9.00	6. HEB, CEE 8.79
2. Costco, CEE 8.87	7. Fiesta Inn, CEE 8.79
3. Amazon, CEE 8.87	8. Adidas, CEE 8.79
4. Nike, CEE 8.86	9. Pay Pal, CEE 8.76
5. City Market, CEE 8.80	10. Mercado Libre, CEE 8.73

CEE= Experiencia en Servicio al Cliente por sus siglas en inglés.

Asimismo, también menciona la importancia de que, para seguir mejorando, las organizaciones deben seguir transitando a través de un cambio de paradigma de cuatro dimensiones:

Cultura, Procesos, Tecnología, y Gente para mejorar su CEE, para convertir cada interacción con el cliente en una experiencia única y memorable.

También habla entre otras cosas de la importancia de sostener nuestros servicios y que a la par vayamos construyendo el futuro.

Cierro esta sesión con esta frase que mencionan en el estudio y que me pareció interesante.

"Las buenas experiencias del cliente no ocurren por accidente, sino por diseño".
— Manuel Hinojosa, KPMG México

VI. Resumen

Recapitulando lo que viste hasta ahora, te comparto el siguiente mapa mental con el objetivo de que sea una referencia rápida para que recuerdes puntos clave accionables en el éxito de tu servicio.

Figura 5.1 Aprendizajes. Puntos clave accionables en el éxito de tu servicio

Por último, te compartiré mi reflexión. Pasemos a ello.

VII. Reflexión Final.

Hoy te puedo decir que tanto para mí como otros Project Managers y para muchos otros líderes, la pandemia fue la evidencia de que la colaboración en la cadena de tu servicio puede vencer cualquier obstáculo.

Si bien fue una etapa difícil a nivel salud, también fue una etapa de alianzas y de excelentes colaboraciones. Una etapa en donde esta fase vivida por una servidora del servicio al cliente brilló por la crisis de la pandemia.

Si de lo compartido te quedas con algo, me doy por bien servida con que te veas como el mejor aliado de tus clientes y/o proveedores, ya que la actitud y determinación influyen en el avance gradual y sostenido de tu servicio a través de la colaboración permanente.

"Tú eres una pieza clave y con el poder de influir y accionar en el éxito de tu servicio al cliente".
— S. Villarreal

Gracias por haber llegado hasta aquí; deseo que este capítulo te haya inspirado, y que puedas tomar y replicar una, dos, o tantas acciones como te sea posible para mejorar, transformar, o hacer brillar aún más tu proceso de Servicio al Cliente y llevarlo al siguiente nivel. Me encantará también escucharte; te invito a que mantengamos el contacto y que sigamos aprendiendo juntos.

SERVICIO AL CLIENTE (CS)

Margarita Lozano Job

Semblanza: Margarita es una consultora apasionada por ayudar a personas y organizaciones para obtener los resultados deseados y la mejor calidad en los diversos aspectos de su vida. Es la representante en México de las organizaciones más grandes en el mundo para capacitación (ATD) y recursos humanos (SHRM) y colaboradora por décadas en sus equivalentes mexicanos.

Es fundadora de Excellens, Asesoría y Capacitación Organizacional, desde donde ha colaborado con gobiernos, empresas e instituciones de la sociedad civil para mejorar sus resultados en un ambiente de respeto, colaboración y excelencia. Es ponente con reconocimientos nacionales e internacionales y ha colaborado con grandes autores como editora y traductora de sus publicaciones. Definitivamente es un referente en liderazgo, consultoría, capacitación y cambio hacia la mejora.

Intención: Después de trabajar con decenas de clientes en diferentes partes del país y del mundo, he aprendido que el servicio es un ingrediente fundamental del éxito. Este capítulo les mostrará cómo empresas muy exitosas se fueron a pique al descuidarlo y la forma en que otras, al mejorar el servicio prestado, crecieron e incrementaron sustancialmente sus ganancias. También les dará ideas de cómo mejorar lo que están haciendo, sin importar el tamaño o el giro de su empresa o institución.

DE PÉRDIDAS A GANANCIAS POR EL SERVICIO

«Si no quieres perder todo en un instante, planea, actúa para ganar y aprende de la experiencia.»

— **Margarita Lozano**

Hace unos días me invitaron a compartir algunas ideas acerca del servicio al cliente. Comencé reflexionando sobre lo que para mí significa este término y se me ocurrió empezar a preguntar a las personas lo que entendían cuando escuchaban las palabras «servicio al cliente». Las respuestas variaron y, en la mayoría de los casos, tenían razón. Escuché decir cosas como:

- Dejar al cliente satisfecho.
- Dar lo que se promete.
- Hacer las cosas de la mejor forma posible.

Sin embargo, surgen muchas reflexiones, por ejemplo, ¿qué tan satisfechos podemos dejar a los clientes?, ¿podemos satisfacer a todos o solo a algunos cuantos? Ciertamente tenemos que cumplir nuestras promesas, ¿pero bastará con eso? Indiscutiblemente tenemos que hacer las cosas de la mejor forma posible, aunque eso no es precisamente servicio al cliente, sino comprometernos con cualquier cosa que estemos realizando, sea para nosotros mismos o para otra persona.

Servicio viene del vocablo latino *servus*, que se traduce como «siervo, el que está al servicio de», es decir, la persona que debía hacer lo que el otro le indicaba. También se refiere a la utilidad o beneficio que algo proporciona y está más relacionado con el desempeño que con la forma o el precio de un bien o servicio.

El servicio al cliente no es solo cumplir con las necesidades de los clientes o con aquellas cosas que quisieran tener, saber o ser, sino exceder sus expectativas y no la de uno, sino las de todos. De esta manera, cuando diseñamos el servicio que damos, tenemos que pensar en todos aquellos detalles que las personas pudieran querer y ofrecerles soluciones que estén por encima de ello. Me dirán que eso no es sencillo y estoy de acuerdo, también podrán decirme que eso eleva el costo del servicio y les diré que en ocasiones así es, pero no siempre, en muchos casos se trata de diseño y entrenamiento, sin embargo, el costo extra vale la pena ya que el número de clientes crecerá, al igual que el consumo por cliente y la lealtad de los mismos, lo que provoca un aumento significativo en los ingresos y la solidez del negocio.

A continuación presentaré algunos ejemplos, sus detalles y soluciones con la intención de que busquen entre ellos alguno que se parezca a sus condiciones y les sirva de ejemplo, también podrán contactarme y, si me platican su situación, siempre podré ayudarlos con algunas ideas.

¡La estrepitosa caída!

Hace algún tiempo dos hermanos se unieron para iniciar un negocio relacionado a dar servicio a los propietarios de vehículos, ellos reparaban los autos y vendían algunas refacciones. La calidad de sus productos y servicio era muy buena por lo que muy pronto empezaron a cosechar frutos, cada vez tenían más clientes y, si no tenían alguna refacción, se daban a la tarea de buscarla, dejando a los clientes muy complacidos, ya que les ahorraban tiempo y complicaciones, ayudándolos a hacer todo más fácil y rápido. Se convirtieron en grandes expertos en el área y crecieron hasta tener cinco sucursales en su región y siete talleres mecánicos, lo que implicó una salud financiera importante para ambos hermanos y sus familias.

Al paso del tiempo uno de ellos quería reducir su nivel de trabajo y llegaron a un acuerdo: uno se quedaría con los talleres y el otro con las refaccionarias, ambos negocios exitosos, rentables y con gran prestigio. La familia que se quedó con los talleres los fue vendiendo poco a poco a los mismos mecánicos a cargo, los hijos del dueño original recibieron su parte y se dedicaron a otras cosas, mientras que las refaccionarias seguían en ascenso. Cuando los hijos varones del dueño acabaron sus estudios universitarios y habían obtenido cierta experiencia como empleados en otros negocios, el papá y fundador habló con ellos y les dijo que deseaba retirarse. Estaba dispuesto a dejarles el negocio a ambos si se comprometían a darle una pensión de por vida para que él y su esposa, madre de ambos, conservaran el nivel de vida que habían alcanzado. Ambos hijos aceptaron con gusto.

Lo que pasó después fue una historia de terror para la familia, ya que en cinco años la empresa que durante más de una década había sido la número uno en el estado, empezó a operar con números rojos. Perdieron todo su prestigio y cada vez tenían menos clientes. El caos se apoderó de la organización y el servicio dejaba mucho que desear.

En realidad, ninguno de los hijos sentía el negocio como propio, no se interesaban por él, desconocían muchos aspectos del mismo y no se preocupaban por aprenderlos, pero lo que sí hacían era competir entre ellos en la dirección, lo que al principio confundía a los empleados, quienes acabaron por no hacer caso a lo que decían, ya que sabían que las órdenes de uno serían cambiadas por las del otro. Además, ninguno de ellos estaba presente al 100%: Ambos tenían intereses diferentes en otros lugares a los que dedicaban gran parte de su tiempo. Como resultado, el servicio al cliente se fue deteriorando y poco a poco los competidores se apoderaron del mercado, con grandes pérdidas para la empresa, cayendo de la posición número uno a la siete de ocho.

En este punto, uno de los hijos se percató de que pronto ya no iban a poder cumplir la promesa de la pensión a sus padres y buscó ayuda. ¿Qué estaba pasando? ¿Por qué todo estaba tan mal si el negocio había sido tan bueno durante tantos años? Se analizó la situación y se encontraron 8 aspectos del servicio que debían mejorarse, entonces se trabajó en ellos, logrando que el primer año salieran tablas, es decir, no hubo ganancias, pero tampoco pérdidas. Para el segundo año volvieron a tener utilidades, subiendo a la posición seis del mercado. Dos años después seguían mejorando y ya estaban en el lugar número cinco.

¿Acaso los cambios fueron tan importantes como para generar ese cambio? ¿Se tuvo que invertir mucho dinero para lograrlo? Importantes sí lo fueron, ya que efectivamente se logró cambiar la inercia y dar un giro que llevó a la empresa de nuevo por el buen camino. La inversión no fue muy grande, pero sí que valió la pena. ¿Qué se hizo?

Se realizó una planeación estratégica con los dos hermanos y su papá, donde se establecieron políticas y procedimientos, se capacitó al personal para actuar de acuerdo con esos planes y también se dieron cursos sobre aspectos del servicio que iban desde cuestiones tan simples como la forma de contestar el teléfono hasta la importancia de atender y pagar a los proveedores en tiempo y forma, así como cambiar la distribución de las zonas de atención para que toda la empresa fuera más amigable con el cliente.

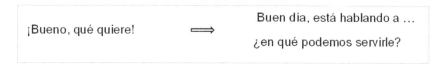

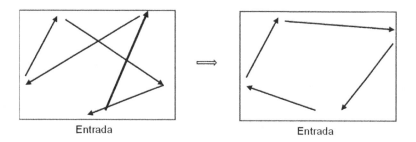

Entrada   Entrada

La frustración del viaje familiar

Hace algunos meses una familia planeó un viaje al que asistieron ocho personas, cuatro adultos mayores y cuatro miembros un poco más jóvenes. La idea del reencuentro después de la separación por la pandemia entusiasmó a todos, iríamos a conocer la Huasteca Potosina, lugar con gran cantidad de atractivos turísticos naturales, donde podríamos respirar aire fresco y estar de nuevo unos y otros juntos. Teníamos grandes expectativas de pasarla bien.

Una persona del grupo eligió este viaje de entre varios que ofrecía una agencia que conocíamos con anticipación. Habíamos viajado con ellos a Mérida y a las Barrancas del Cobre con resultados magníficos, el servicio, el plan de viaje, todo había sido muy bueno, así que nos adentramos en esta aventura con la expectativa de algo excelente.

Primera decepción: la cita para iniciar el viaje en autobús, un jueves a las 23:30 en ¡el lateral del Periférico! ¡Wow! Eso sonaba inseguro, pero habría alguna explicación. Llegamos 23:20 y vimos que había una bahía en el punto indicado, ¡porque era una parada para transporte público! Pueden imaginar la escena con maletas y cachivaches en plena parada de autobús.

Fuimos llegando todos, junto con otros pasajeros desconocidos. Poco a poco, nos presentamos, éramos como 25 personas a medianoche, sin iluminación, esquivando autobuses y combis. Dieron las 00, las 00:30 y finalmente a las 00:43 se apareció nuestro autobús. Podríamos haber sido víctimas de un asalto o un atropellamiento, ¿cómo era posible que ahí fuera el abordaje? Pero, bueno, para nuestra fortuna nada malo ocurrió, salvo el estrés y el terrible baño de smog de más de una hora.

Segunda decepción. Nuestro «guía» solo preguntó nombres para corroborar que éramos quienes debíamos ser y expusimos una situación problemática: una persona de nuestro grupo no había conseguido boleto de avión para estar a tiempo en el viaje, lo que avisamos a la agencia desde el lunes y le preguntamos cómo se nos reembolsaría por ello. Su respuesta fue: «no sé de eso, debieron avisar al menos dos días antes». Contestamos: «¡avisamos desde el lunes!». Y su respuesta fue: «yo no sé si pueda hacerse algo, hablen a la agencia». Explicamos que habíamos estado hablando todos los días a la agencia en diferentes horarios y no habíamos tenido respuesta.

Tercera decepción. Llegamos a desayunar y el guía nos anunció que era un lugar típico con buena comida, lo que nos llenó de entusiasmo. Era rústico y con cierto encanto: tortillas hechas a mano al momento, una gran variedad de cazuelas en el fogón. Sonaba perfecto. En el autobús íbamos cerca de cincuenta personas, pero después de 20 o 25 personas resultó que ya solo había dos cazuelas con comida, el resto se había agotado, ya ni siquiera había café. Con los $130 que costaba el «*buffet*», algunos solo pudieron comer un pan dulce con agua o refresco. Por más que solicitamos que trajeran más comida, la respuesta fue que ya no había, así que algunos nos fuimos sin desayunar.

Cuarta decepción. Partimos de ahí para visitar un jardín «con gran variedad de plantas». Como me gustan, me pareció interesante. Nos informaron que el autobús no podía ir hasta ese punto, por lo que debíamos bajar en otro lugar y tomar unas combis que nos llevarían al sitio. Así lo hicimos y nos llevaron a una calle con cerca de 20 puestecitos con artículos turísticos de la zona, decían que había un museo que estaba cerrado y la entrada al «jardín». Eran las 12:40 del mediodía y vimos que los horarios para entrar eran cada quince minutos. Nuestra sorpresa fue enorme cuando el guía nos dijo que entraríamos a las 14:15. ¿Qué haríamos durante más de una hora en ese lugar y en medio de una llovizna constante? En ese punto me pregunté, cómo es que habían podido avisar por teléfono al pequeño restaurante del desayuno que estábamos por llegar y no pudieron acordar con el jardín, que era una organización estructurada, nuestra entrada en forma más adecuada. Tampoco el guía mencionó algo más sobre lo que encontraríamos en el sitio.

Pero no todo son decepciones. Para nuestra grata sorpresa, entramos y el lugar resultó fantástico, efectivamente con alguna variedad de plantas. El guía local nos platicó toda la historia del desarrollo del lugar con anécdotas sobre su fundador y la importancia que tuvo y sigue teniendo para la comunidad, así como el impacto del tiempo en toda la región. Pasamos a comer a un restaurante del pueblito donde tomamos las combis, visitamos Xilitla con su interesante iglesia que muestra una austeridad pocas veces vista y de ahí nos dirigimos hacia nuestro hotel en Ciudad Valles, a donde llegamos después de tres horas y media para finalmente tomar un baño y descansar.

Se siguieron acumulando las decepciones, ya que en el hotel no había toallas de mano, los desayunos se agotaban con menos de la mitad de los viajeros en el autobús y hubo habitaciones que al regresar el segundo día no habían aseado. Lo peor fue que, al informar que no habían tendido las camas ni limpiado el cuarto, aunque la administración del lugar se disculpó, no solucionaron el problema.

Durante ese segundo día visitamos El Meco, un lugar pequeño, pero espectacular con cristalinas aguas azules y unas cascadas muy bellas. Las conocimos desde un mirador y luego nos adentramos en sus aguas nadando o en embarcaciones de remo: una experiencia muy gratificante. Aunque tardamos más de tres horas en llegar, valió la pena. Entre el espectáculo y la experiencia, sin duda es un lugar a visitar. Se propuso entonces dirigirnos a Minas Viejas y después de un largo recorrido en el autobús, de repente, paramos y empezamos a circular en reversa. El guía nos informó que por la lluvia el camino estaba muy lodoso y provocaba que las llantas resbalaran, por lo que no era seguro continuar y se cancelaba esa visita, dirigiéndonos al hotel.

Ahí nos ofrecieron una cena «especial» amenizada por un grupo de Huapango. Sonaba atractivo hacer algo diferente, pero nos advirtieron que solo se podría hacer con el pago respectivo y asegurando un mínimo de treinta comensales. De una u otra forma, se cumplieron los requisitos y quedamos inscritos en la cena. Al llegar resultó que había un *buffet* con tacos de carne fríos, unas quesadillas frías y muy grasosas que se suponía que eran de queso, arroz, frijoles y un guiso de chicharrón prensado, acompañadas con agua de Jamaica o melón. Nos habían dicho que el grupo llegaría a las 21:00 y aparecieron a las 21:45, pero cantamos, bailamos e intentamos pasarla lo mejor posible.

Dada la mala experiencia con los desayunos del hotel, antes de esa cena nos dirigimos a un supermercado cercano donde compramos pan, jamón, queso, jugos, leche, café y demás ingredientes para preparar un desayuno nutritivo en las habitaciones.

Al otro día, después del desayuno, abordamos el autobús para dirigirnos a otro balneario llamado La Media Luna para nadar en aguas termales. Llegamos aproximadamente a las 11:00 y salimos (habiendo comido en el lugar) a las cinco de la tarde, para regresar a la ciudad de México. En el sitio visitamos un cuarto que denominan «museo» y todavía no entiendo por qué lo llaman así, nos proporcionaron algo de información del lugar, nadamos, paseamos un poco, pero sentimos que pasamos demasiado tiempo ahí, como que podíamos haber conocido algo más ese día.

Llegamos a nuestro destino a medianoche y nos quedamos con muchas dudas sobre lo que pasaría a futuro, ya que, como clientes, las decepciones sufridas en este viaje habían sido muchas. Los buenos momentos se debieron a la naturaleza misma que estaba frente a nuestros ojos y a la convivencia con nuestros seres queridos, pero no la podemos atribuir a la agencia de viajes.

Sin embargo, no podemos borrar las experiencias positivas del pasado, por lo que después de hacer consenso concluimos que hablaríamos con nuestro contacto de la agencia y le diríamos que solo volveremos a usar sus servicios y a recomendarlos con otras personas si se comprometen a:

- Mejorar sustancialmente su servicio.
- Capacitar adecuadamente al personal para resolver las situaciones de los clientes que puedan presentarse, dar explicaciones de los sitios a visitar, tomar decisiones sobre cambios, negociar descuentos o condiciones que ayuden en caso de que las cosas no salgan como se espera.
- Revisar las condiciones de los sitios a visitar de acuerdo con el clima y planear con eso en mente.
- Asegurarse de que los hoteles y restaurantes tengan estándares mínimos de calidad y servicio, tomando en consideración el número de viajeros que se manejan.

Reflexionando sobre esta experiencia, aprendemos que seguramente la agencia no volverá a utilizar ese hotel, ya que no cumple con las necesidades de los viajes en cuanto a los alimentos, equipamiento de las habitaciones, pero lo más grave, con la actitud de servicio. Es increíble que, habiendo reportado en la administración y con la supervisión de cuartos que las camas no estaban tendidas ni la habitación aseada, no hayan hecho algo al respecto. Ni siquiera una nota de disculpa. Créanme, si estuviera trabajando ahí, yo misma habría ido a arreglar el cuarto.

Aunque todo el grupo quedó encantado por la belleza de la zona, tengan por seguro que, vayamos en forma individual o en grupo, no usaremos ese hotel y, como siempre ocurre, le platicaremos al menos a ocho personas sobre nuestra mala experiencia. Recuerden esta regla de oro: una buena experiencia se comparte una o dos veces en promedio, pero una mala se comparte al menos ocho veces, por lo que el mal servicio siempre se conocerá, afectando los resultados de cualquier organización.

¿Pero qué ocurre cuando las acciones son diferentes? En uno de mis cursos de servicio al cliente solicité a los participantes que relataran una buena experiencia y compartieron algunas muy interesantes, como por ejemplo la que describo a continuación.

La televisión no sirve

Una persona fue a comprar un televisor a una tienda y, después de ver diferentes modelos, no acababa de decidir cuál comprar, así que se acercó a un vendedor, solicitó ayuda y recibió explicaciones de lo que cada aparato podía ofrecer, las diferencias entre las alternativas, los precios y condiciones de venta y finalmente se llevó uno. Ocurrió entonces que el cliente regresó furioso a las dos semanas, quejándose de que el televisor no servía. El vendedor escuchó pacientemente las quejas, preguntó detalles, mostrando interés en el problema, ofreció cambiar el equipo por otro de mejor calidad sin cobrar la diferencia de precio y además le entregó al cliente un vale por el 10% de descuento en su siguiente compra.

Como resultado, la persona tenía un televisor que funcionaba perfectamente, le había costado menos de su precio real, la tienda devolvió el equipo defectuoso al proveedor, sin ningún cargo para ellos y un mes después el cliente estaba de vuelta comprando una aspiradora con su 10% de descuento, pero esta vez iba con otra persona que también hizo un par de compras. ¿Valió la pena? Claro, se obtuvo la fidelidad de un cliente y se ganó otro más. Las ventas continúan al paso del tiempo.

Los rompecabezas

Mostrar interés en lo que los clientes quieren siempre es una buena idea y aquí les va un ejemplo. En una tienda departamental hay una sección de juguetería. Una nueva empleada fue capacitada y se enteró que los juegos de salón se renovaban cada 6 meses. A su tercera semana de trabajo llegó el proveedor de rompecabezas con un gran surtido nuevo, eran como 200 nuevos productos, algunos muy bonitos o interesantes. Un mes después apareció un cliente y se veía interesado en esos productos. La empleada se acercó y le mostró las novedades. El cliente pacientemente escuchó las explicaciones y después le dijo: «¿cuántos modelos tiene nuevos en 3000 piezas?». Había 26 de ellos y se los enseñó.

Mientras los mostraba, le explicó que los nuevos modelos llegaban cada 6 meses a la tienda, ya que era un producto que venía de Europa. Al final, el cliente se llevó los 26 rompecabezas, le dio su teléfono a la empleada y le pidió que cada vez que llegaran nuevos productos le separara aquellos de 3000 o más piezas y le llamara para que viniera a comprarlos. Durante los cinco años que ella trabajó ahí, ese cliente regresó cada vez que lo llamaba a comprar todos los nuevos modelos de los rompecabezas.

Ciertamente invirtió mucho tiempo con el cliente la primera vez, pero después era solo separar los productos cuando llegaba el proveedor, hacer una llamada y la venta estaba cerrada. Un cliente contento y fiel que ayudaba a mover la mercancía y facilitaba las decisiones del departamento de compras. Por cierto, recomendó a algunos amigos con el mismo pasatiempo y, al paso del tiempo, la chica obtuvo 23 clientes similares. También tenía como cliente a las tías y abuelas que compraban juguetes para niños de ciertas edades y, cuando las veía llegar a la tienda, ya sabía que ofrecerles. Debo mencionar que esta persona trabajaba solo dos días por semana, pero vendía más que la gente que trabajaba tiempo completo.

¿Quién es mi cliente?

Recordemos también que la interacción entre personas está llena de oportunidades. No es solo la condición de intercambiar bienes o servicios, para que alguien sea «mi cliente» podemos regalar ideas, lograr el apoyo de alguien en un proyecto y mucho más. Las interacciones no solo se realizan entre extraños, también se dan entre amigos, familiares, colaboradores o compañeros, por citar algunos casos. Siempre hay alguien que tiene algo que ofrecer y el que puede o no recibir. Además, todos hemos experimentado las dos posiciones, con buenos o malos resultados, lo importante es tener en mente quién es nuestro interlocutor, qué le interesa, qué le gusta, qué necesita, qué desea y, con eso en mente, hacerle una propuesta que no pueda rehusar porque es algo posible y deseable.

¿Qué quiere un cliente?

Para poder brindar un buen servicio es necesario satisfacer las necesidades o deseos del cliente, por lo que nuestra prioridad es conocer lo que necesita y desea. Para ello serán de gran valor tu capacitación y tus habilidades de comunicación. Por lo general, los clientes también esperan:

- Empatía. Si logran percibir que estás comprendiendo su posición y tratando de ver las cosas desde su perspectiva, estarán más satisfechos.
- Cortesía. A todos nos gusta que nos traten con amabilidad y respeto, por lo que, en la medida que así lo hacemos, llevamos la delantera.
- Atención personal. No nos gusta sentir que somos parte del montón o solo una cifra, nos gusta que nos vean y traten como individuos y se fijen en nuestros intereses y necesidades, aclarando las dudas que se tengan.
- Rapidez. No es deseable alargar el tiempo de atención. Los clientes esperan que sus necesidades o deseos sean resueltos en el menor tiempo posible.
- Confiabilidad. A nadie le gusta correr riesgos innecesarios, todos queremos que nuestra experiencia nos lleve hacia algo bueno y nos disgusta sentir dudas al respecto.
- Información. Como clientes, nos agrada saber que estamos hablando con la persona correcta, con alguien que escucha y resuelve nuestras dudas, que conoce su trabajo y lo hace bien, en otras palabras, con alguien que tiene la capacitación adecuada y la usa con la actitud adecuada en cada caso, pero el balance es importante, ya que no nos

gusta que nos inunden con demasiada información incomprensible o irrelevante.

Se tiene la idea de que para los clientes el precio es el parámetro más importante, sin embargo, hay estudios que muestran otros factores relevantes. Por ejemplo, una investigación a más de 2300 clientes encontró que más del 40% dijo que el mal servicio era la razón por la que habían cambiado su preferencia hacia la competencia, mientras que solo el 8% mencionó el precio como el factor de esa decisión, y el 60% de los interrogados dijo que el que se cubrieran sus necesidades era más importante que el precio.

Algunas recomendaciones:

- Conoce tu producto o servicio. No solo los aspectos técnicos, sino sus usos, aplicaciones, potencial, todo lo que se te ocurra.
- Si puedes, usa el producto o servicio, experimenta con él y ve qué ocurre como resultado.
- Investiga a tu cliente, sus necesidades, deseos, preferencias, limitaciones, tanto como puedas.
- Empareja a los clientes con los productos o servicios que mejor se acomoden a ellos.
- Escucha tanto como puedas.
- Habla solo después de escuchar y di lo necesario, ni más ni menos.
- Pregunta al cliente cómo ha sido la relación contigo y cuáles serían sus sugerencias para mejorar el proceso.
- Deja ver que puedes ofrecer más.
- Trata de ser empático.
- Genera experiencias agradables de interacción, hazla rápida, precisa y valiosa.
- Si cometes un error, acepta la responsabilidad y resuélvelo.

- Trata de que siempre se marchen satisfechos.
- Ofrece apoyo después de la venta. Una llamada crea oportunidades.
- Si hay algún problema, pregunta al cliente qué puedes hacer para resolverlo.
- Agradece siempre.

Para aquellos cuya lectura haya llegado hasta aquí y consideran que hay valor en este mensaje, si tienen algún problema por resolver y creen que mi apoyo puede ayudarles, por favor comuníquense conmigo a través de mi página web, en ella encontrarán información sin costo que les será de utilidad. Será un placer poder ayudarles

Gracias por su atención y hasta la próxima.

SERVICIO AL CLIENTE (CS)

Irving Jair
Santiago Pérez

Semblanza: Irving Jair Santiago Pérez es un apasionado por la palabra. Conferencista desde los 12 años, es *coach* de negocios y *practitioner* en PNL, certificado por John Grinder, cocreador de la PNL. Es licenciado en Derecho con maestría en Derecho Notarial. Fue galardonado como Gran Maestro Internacional por la Cámara Internacional de Conferencistas. Formado como *master trainer*, mentor y formador de conferencistas. Imparte conferencias sobre desarrollo humano y temas jurídicos.

Actualmente es colaborador de la Notaría No 20 en Coatzacoalcos, Veracruz, junto a su titular, Luis Manuel Brito Gómez.

Intención: Al final de este capítulo, como lector, podrás cuestionarte los conceptos de servir con los que has operado, otorgarles un nuevo significado y aplicar la fórmula del autor para otorgar una experiencia de atención al cliente funcional. Encontrarás un análisis de las experiencias de atención al cliente en Notarías de México.

SI NO VIVES PARA SERVIR, ENTONCES, ¿PARA QUÉ VIVES?

> *«Lo que más te apasiona está relacionado con tu propósito de vida. Y tu propósito de vida está relacionado con tu o tus talentos.»*
>
> — **Irving Jair Santiago Pérez**

"**Quien no vive para servir, no sirve para vivir**». Esta frase, atribuida al indio Rabindranath Tagore y difundida por la gran Madre Teresa de Calcuta, invita a la reflexión profunda del propósito de vida personal, del vivir de tal manera que este viaje llamado *vida* sea acompañado de personas para quienes tu existir les represente un intercambio de ideas, pensamientos y memorias positivas. Invita a entender que el sentido de la vida radica en el servir a los demás.

Sin embargo, sin ofender a sus autores, esta frase la he hecho propia y la he redefinido: «si no vives para servir, entonces, ¿para qué vives?». Y es que, querido lector, a medida que leas este capítulo te invito a que pienses en tu propósito de vida y en cómo se relaciona con tu visión profesional, tu empleo actual y tu sistema de creencias, sin importar desde qué cargo laboral operas.

Desde muy pequeño aprendí que el servir a los demás es uno de los actos de amor más nobles y honestos. «Hay más felicidad en dar (servir) que en recibir», sonaba en mi mente cada vez que asistía junto a mi familia a las reuniones de los testigos de Jehová. Por tal razón, concebí que el «servicio por y hacia los demás» era una especie de sacrificio obligado a fin de obtener una recompensa completamente proporcional a este y, con ello, satisfacer al creador del universo. Por ello todos los domingos, con la intención de servir a los demás, tocaba puerta por puerta para predicar sobre Dios y lo que en ese entonces entendía como propósito de vida.

Crecí y me preparé profesionalmente como licenciado en Derecho y en junio de dos mil siete inicié mi camino profesional colaborando en una notaría pública. Como joven recién egresado de la universidad, mi objetivo principal era encontrar un trabajo redituable económicamente que me permitiera tener una vida estable.

Quizá has escuchado o leído sobre la fe pública y la función del notario, o incluso has requerido de los servicios notariales a fin de otorgar actos jurídicos. Pero si no, el notario es un experto en derecho a quien el estado le ha dotado de fe pública a fin de hacer constar ante él los actos que serán considerados ciertos, legales y auténticos. La mayoría de los estados de México definen al notario como «el profesional del Derecho dotado de fe pública». Y su actuación siempre debe estar basada en principios como probidad, imparcialidad, honradez y legalidad. De tal manera que el notario escucha, asesora, interpreta y da forma a la voluntad de quienes tiene frente a él, y todos los que aspiramos a convertirnos en tal, modelamos. En la práctica y con la intención de atender la mayor cantidad de asuntos, el notario se auxilia de abogados especializados en derecho notarial para ofrecer un servicio de calidad. Los llamados históricamente como «amanuenses» también cumplimos con este actuar frente a los particulares.

En mi día a día laboral escucho, interpreto y asesoro a personas sobre diversos temas, desde sencillos, relacionados con el patrimonio personal, hasta complejos, relacionados con empresas y corporaciones ejecutivas. Esto me permite brindar una «experiencia de servicio», pues mi intención es que las personas se marchen con sus dudas resueltas, con un intercambio de ideas claras y propositivas. Sin embargo, esto no siempre fue así...

Fue en la Notaría 3 en Coatzacoalcos, Veracruz, donde inicié mi viaje profesional, siendo enseñado y guiado por su titular, el licenciado Jesús Salas Lizaur, quien con un método enérgico y estricto inculcó la importancia de asesorar a los usuarios desde la base legal sin inventar y sin indagar. Por tal razón, el conocimiento y preparación serían indispensables para asesorar de una manera clara, sencilla y facilitar la solución de los temas de los usuarios. Y de esta manera operé durante mucho tiempo, escuchando y asesorando. En algunas ocasiones notaba que, aunque la respuesta a la consulta era satisfactoria, el lenguaje no verbal del cliente me indicaba que había algo más, temas que salían del ámbito legal, pero que impactaban, al mismo tiempo, en la persona. Sin embargo, no me correspondía invadir la esfera de la privacidad. O al menos eso creía.

No fue sino hasta después de varios procesos de desarrollo personal que empecé a cuestionarme cuál era mi propósito de vida. ¿Qué aporte podría yo hacer a este mundo? ¿Cómo lo haría? ¿Cómo se relacionaría mi empleo, mi profesión, con mi propósito? En este punto de la lectura te pido a ti que te preguntes, que te cuestiones: ¿tengo claro cuál es mi propósito de vida? ¿Está mi propósito de vida relacionado con mi empleo actual? Si la respuesta es afirmativa, ¡te felicito! Tú, yo y otros líderes estamos en este camino llamado vida con un propósito claro: **trascender**. Sin embargo, si la respuesta fue negativa, ¡no te desanimes! Tienes frente a ti la posibilidad de transformar tu pensamiento y, con ello, tu realidad.

Encontrando mi propósito de vida

Aunque este capítulo no está preparado para que encuentres tu propósito de vida, te comparto preguntas de reflexión que podrían ayudarte a hallarlo:

1. ¿Qué haría si descubriese que me queda poco tiempo de vida?
2. ¿Cuál considero que es mi mayor talento o virtud?
3. ¿Qué me apasiona más? ¿Qué me mueve o motiva?

Esta última pregunta me llevó a una introspección profunda y descubrí mi pasión, lo que me satisface y hace que me levante todos los días. ¡Sí! Esa razón o motivo por el que dices «lo hago, no importa».

Encontrar tu propósito de vida no es tarea sencilla, pero hacerlo significará en ti la posibilidad de vivir una vida plena. Lo que más te apasiona está relacionado, en mi experiencia, con tu propósito de vida. Y a su vez, tu propósito de vida está relacionado con tu o tus talentos.

Cuando tienes claro tu propósito de vida, cada experiencia representará la oportunidad de encontrar la respuesta a la pregunta ¿para qué? Con mi frase («si no vives para servir, entonces, ¿para qué vives?») te invito a que cuestiones el para qué de tu vida, entendiendo que el servir es una manera de vivir tu propósito. Interesante, ¿cierto? ¿Cómo es que servir podría ser tu propósito de vida? Piensa por un momento. ¿Cuándo fue la última vez que recibiste una experiencia única mientras contrataste un servicio? Si eres emprendedor o propietario de un negocio o tu cargo laboral es de servicio al cliente, ¿qué tipo de experiencia estás ofreciendo?

Redefiniendo mi concepto de *servicio*

En mi experiencia como colaborador de notaría, he descubierto que la definición que cada persona tiene de la palabra *servicio* está relacionada con el desempeño y atención que le dará a su cliente. Para quienes han concebido la palabra *servir* como un sinónimo de *minusvalía*, considerarán poco importante dar una experiencia de valor a sus clientes, pues se sentirán denigrados o poco valorados. Obsérvate y, en su caso, observa a tus colaboradores cuando tratan al cliente. ¿Cómo te (se) dirigen a él? ¿Qué mirada le des (dan)? ¿Qué dice tu (su) lenguaje corporal? ¿Cuál es el tono de voz habitual de tu (su) conversación? Cuando un cliente se marcha, este tipo de persona utilizará expresiones como: «¡cómo molestan las personas! ¡Qué flojera atender! ¡No soporto ya!». ¿Puedes identificar y reconocer otras frases que muestran la definición denigrante de atención al cliente?

Como lo expresé antes, mi definición de *servir* estuvo ligada a mi educación religiosa, un sacrificio casi obligatorio si quería obtener algo a cambio. De tal manera que, tras muchos años brindando el servicio al cliente en la notaría, esperaba únicamente obtener un ingreso redituable y proporcional al tipo de servicio otorgado. Tristemente eso no me satisfacía en lo más mínimo. Por ello, si quieres mejorar en la experiencia que brindas a tus clientes, es importante que seas consiente de lo que significa para ti servir. Es probable que alguna experiencia de tu pasado te haya hecho darle un significado a la palabra *servir*, ya sea si la experiencia fue positiva o negativa, será la concepción que a su vez tengas del servicio a tus clientes.

¿Estás listo para darle un nuevo significado a la palabra *servir*? ¡Bienvenido/a/e!

El servicio como una oportunidad

Una vez que has encontrado tu propósito de vida y quieres cumplirlo, es importante que veas tu empresa o tu empleo como el camino, el medio, el puente para aportar algo al mundo. Por ello es esencial que te preguntes: ¿Es mi empleo o empresa el lugar donde realmente quiero estar? ¿Es mi empleo o empresa el lugar donde exploto mi o mis talentos? Si tuviera que abandonar mi empleo o empresa, ¿Me pesaría o lo haría de inmediato? La respuesta a estas preguntas determinará el camino que debes seguir. Si crees que no estás en el empleo o empresa para ti, ¡no te desanimes! Mi invitación es que te vuelvas consciente de este hecho.

Únicamente estando en el empleo o empresa donde realmente quieras estar podrás darle un significado diferente a la palabra *servir*. Seguro has escuchado la frase «quien se dedica a lo que le apasiona nunca más tendrá que trabajar», y es que la pasión jugará un papel importante en la experiencia de calidad de tu cliente, y solo habrá pasión si disfrutas lo qué haces. Hasta aquí te comparto mi primera fórmula:

Propósito de vida + Empleo o empresa ideal = Redefinición de la palabra *servir*.

¿Y qué tal si empiezas a concebir el servicio a tus clientes como una oportunidad? ¿Oportunidad de qué? Una oportunidad de demostrar al mundo tus talentos y con ello sentirte pleno. Permíteme explicarte cómo he llegado a esta conclusión.

Cuando desarrollas tu talento en una empresa o empleo se genera un sentido de pertenencia, de trabajo en equipo y de compromiso real. Es decir, te sentirás tú mismo, darás lo mejor de ti y tus clientes se sentirán satisfechos con tu servicio. Esto, a su vez, te llevará a concluir que estás cumpliendo con tu propósito de vida y te ayudará a sentirte pleno, en equilibrio con las demás áreas de tu vida. De tal manera que habrás trascendido y al mismo tiempo tendrás una retribución económica. Dejarás de ver tu empleo o empresa como el medio para subsistir y lo verás como la oportunidad de servir. Tendrás una realidad funcional para ti, una concepción del mundo y de tu vida que te apoye a maximizar tus talentos.

¿Cómo estoy operando?

Es momento de hacer un análisis propio y de tus colaboradores para saber qué tipo de servicio están otorgando. Si eres patrón, es indispensable que escuches a tus colaboradores y averigües cuáles son las expectativas respecto de su labor. Invítalos a que te compartan su propósito de vida y cómo este se relaciona con su cargo laboral. Ten apertura y sé receptivo para escuchar con atención, incluso si no estás de acuerdo, invítalos a ir por más.

Si eres empleado, pregúntate cómo se relaciona tu posición laboral actual con tu propósito de vida. Si estás a gusto, ¡felicidades! Y si no es así, ¿Qué estás esperando? Nuestro tiempo en este plano es limitado, así que es momento de transformarte y aportar a este mundo tu talento real.

A continuación, hago un breve análisis, desde mi opinión, de lo que sucede en la experiencia al cliente en una notaría.

Conocimiento sin servicio: experiencia negativa

«La verdad los hará libres», dijo el mejor conferencista que ha existido. En ese sentido, quien goza de conocimiento a través del estudio, preparación y experiencia, tendrá una libertad para concebir al mundo desde otra «realidad». ¿Y qué es la realidad si no la percepción e interpretación de los hechos que suceden a nuestro alrededor, a los que les asignamos un significado y guardamos en el inconsciente de nuestra mente?

Al ser el notario y sus colaboradores amanuenses profesionales del Derecho, es esencial que estén preparados para responder consultas sobre diversas áreas del derecho (civil, mercantil e incluso penal). Al estar preparados y con conocimiento vasto, es común que dejen de lado una característica importante de toda consulta y que hemos analizado en este capítulo: servir. En algunas ocasiones puedes olvidarte de que frente a ti está una persona que no tiene ese conocimiento, pues de tenerlo no acudiría a ti. Tratarles con respeto y sencillez es parte de la base del servicio de fe pública.

En mi oficina, los clientes que llegan me han comentado que en otras notarías se han sentido maltratados, regañados e incluso pisoteados por quien debería darles un servicio humano. Por ello mi invitación es a la reflexión. ¿Cómo otorgas una experiencia de servicio a tu cliente: como un favor que les haces o como la oportunidad de compartir tu conocimiento y solucionar problemas de tus clientes?

A este tipo de experiencia la he denominado «conocimiento sin servicio» y, en mi opinión, no es funcional, por lo que no la recomiendo. Si estás operando desde esta fórmula, es muy probable que tu cartera de clientes sea variable y poco recurrente, y, desde mi opinión, no estarás aportando nada a la sociedad, si no estarías restando. De nada sirve tener todo el conocimiento y experiencia del ámbito notarial si no lo acompañas con una experiencia de cliente cálida y con dignidad humana.

Quizá no estás teniendo un buen día o tus circunstancias personales son difíciles, pero no debes olvidar que tu servicio de fe pública te fue encomendado para solucionar, mediar y contribuir al bienestar social. Jamás permitas que tus circunstancias sean mayores a ti.

Servicio sin conocimiento: experiencia negativa

En algunos casos he encontrado prestadores de fe pública que tienen «las ganas» de atender y brindar un servicio de calidad acompañado de certeza jurídica, es decir, quizá no tienen la experiencia jurídica por la edad o por el reciente ingreso a la función pública, pero sí están convencidos de tratar a sus clientes con cordialidad, respeto y humanismo. Y en la mayoría de los casos son notarías con cartera de clientes varios.

Este tipo de experiencia la he denominado «servicio sin conocimiento» y, en mi opinión, tampoco es funcional. ¿La razón? No existe una garantía de certeza jurídica.

En una ocasión, escuché a un abogado de notaría justificar un «mal otorgamiento de acto jurídico en instrumento público» que realizó diciendo «es que eso es lo que el cliente me pidió». En ese sentido, al igual que la experiencia anterior, si el cliente tuviese el conocimiento y *expertise* de tu área, estaría colaborando junto a ti y no solicitando el servicio de fe pública.

Una de las funciones esenciales de los notarios y de los abogados especializados en derecho notarial es escuchar e interpretar el sentido, el mensaje de quien está frente a ti, darle forma a la voluntad de las partes. En ocasiones, el cliente tiene un concepto erróneo del servicio que requiere y es tu deber escuchar correctamente para asesorar en ese sentido. Por ejemplo, es común confundir testamento con donación, o la constitución de una sociedad con una asociación. Si te limitas a llevar a cabo lo que el cliente pide como una instrucción, sin cuestionar, podrías otorgar un servicio erróneo con consecuencias legales fatales para tus clientes, trayendo como resultado la no recomendación e incluso la denuncia.

El estudio constante y la actualización en los diversos temas son indispensables para que no otorgues este tipo de experiencia.

¿Cuál es, entonces, la experiencia que las notarías deberían brindar y tener disposición para adoptar? Analicemos.

Servicio con conocimiento: experiencia positiva para el cliente o usuario

Después de comparar los dos tipos de experiencia que he encontrado a lo largo de mi camino profesional, hoy puedo decir con convicción sincera que si tu intención es dar una experiencia de satisfacción que resulte en la buena recomendación, cantidad de clientes varios y con ello una compensación económica redituable, es indispensable lograr el equilibrio entre conocimiento y servicio. Esta experiencia es completamente funcional y a continuación explico el por qué.

La función notarial, la fe pública tiene la intención de preservar el orden social, y quien ha sido dotado de esta o quien aspira a serlo debe tenerlo en alta estima, es indispensable que reconozca que hay una vocación para desempeñarse como tal. El conocimiento y la preparación serán indispensables para el buen funcionamiento, pues el patrimonio de sus clientes y la vida misma de estos estarán en sus manos en cada asesoría. Sin embargo, al igual que un pan sin sal, si el conocimiento no viene acompañado de un servicio digno y humanista, el notario estará relegado a un título distintivo y no podrá cumplir con su función.

Es momento de generar una nueva definición de servicio notarial, que incluya el conocimiento junto a un trato humano. En mi opinión, este tipo de experiencia debe integrar:

Un trato amigable, cordial, respetuoso. La manera en cómo hagas sentir a tus clientes determinará su regreso constante y recomendación de tus servicios.

Hacerlos sentir únicos e importantes. Es bien sabido que las notarías llevan varios asuntos y, por tanto, numerosos clientes. Sin embargo, tu cliente quiere sentirse único, no como uno más. Por ello es indispensable que desarrolles un interés genuino en cada visita. Indaga sobre su vida, interésate en su bienestar.

Sé honesto y humilde. Aunque la preparación, el conocimiento y la experiencia es la base, existe la posibilidad de que no tengas una respuesta a un cuestionamiento. Más allá de inventar, hazle saber que investigarás y prepararás una respuesta adecuada para él, ella o elle. Eso generará confianza.

Siempre da lo mejor de ti. Al tener en cuenta que cada asesoría y, por tanto, cada cliente es una oportunidad para aportar tu granito de arena al bienestar social, darás lo mejor de ti, con pasión y certeza.

Estos cuatro puntos son aplicables para cualquier empresa o empleo. ¿Estás listo para ponerlos en práctica?

Por ejemplo, para Eulises Domínguez Gamas, entrenador fitness y preparador físico de constructivismo con experiencia de más de quince años en Coatzacoalcos, Veracruz, ha descubierto que su pasión combinada con su propósito de vida, ha resultado en convertirse en un empresario local con deseo honesto por ayudar a que sus usuarios obtengan una mejor versión propia.

Un nuevo GANAR-GANAR

A lo largo de mi camino profesional he definido nuevamente la estrategia de ganar-ganar con mis clientes. ¿En qué sentido? En muchas ocasiones han acudido a mí, clientes con conflictos legales aparentemente serios y complejos (como la disputa de bienes entre hermanos por herencias, conflictos de índole de empresas familiares, entre otros) y, aunque la asesoría siempre parte de la premisa jurídica, después de analizar su lenguaje no verbal descubro que la raíz del aparente conflicto es de carácter emocional.

Hace unos años me preparé como *coach* de negocios y *practitioner* en programación neurolingüística, lo que me ha permitido agregar valor a las asesorías y, desde otra plataforma, aportar a la solución del conflicto. ¿El resultado? En algunos casos, después de abordar el aparente conflicto de la mano del *coaching* y la PNL, este se ha resuelto sin que el servicio notarial continúe. A veces regresan con el paso del tiempo y otras veces no. ¿Fracasé, entonces? ¡No! Porque ellos se han ido con la solución de su conflicto y entonces he obtenido un ganar-ganar, pues la satisfacción por aportar algo a la vida de los clientes me genera dicha y plenitud.

Por ello mi invitación hacia ti es que le agregues un valor extra a la experiencia de tus clientes. Que hagas de tu propósito de vida tu pasión por servir. Que desde tu empresa o empleo generes un cambio en la vida de tus clientes, que te recuerden como ese prestador de servicios único, que los hizo sentir especial.

Pues, **si no vives para servir, entonces, ¿para qué vives?**

HOSPITALIDAD

Raúl Alfonso Camacho Rodríguez.

«EL COACH RAÚL»

Semblanza: Raúl Camacho Rodríguez. El Coach Raúl.

Un empresario ciudadano del mundo enamorado de la hospitalidad. Autor del libro best seller en Venezuela «**Yo Servidor: El Arte de servir para triunfar**». Por aquello de ser «turismólogo» creó en su natal Venezuela la reconocida empresa Mundo Brújula a los 19 años. Es consultor e instructor de CX Customer Group, así como consultor activo de PROCOLOMBIA y AVECINTEL.

Fue el creador y director del *Centro de estudios para la hospitalidad y el turismo* **de la Universidad del Yaracuy,** el cual ha formado profesionales con el valor de servir.

Como speaker y coach internacional, es conocido por contar sus experiencias y pulir el diamante a otros empresarios en más de 20 países.

Su lema es «*Hoy aquí, mañana en cualquier parte del mundo*».

Intención: En este capítulo explorarás el efecto dinamizador que tiene la hospitalidad como estrategia para transformar el servicio de las empresas de los tradicionales conceptos de atención al cliente al concepto estructurado y efectivo del CX. Todo esto por medio de un compendio de pasos que permiten hacerlos más cercanos y efectivos a la condición humana del cliente.

CX: A LA BÚSQUEDA DEL SENTIDO DE LA HOSPITALIDAD PARA LA RENTABILIDAD

66

«Encontrarás puentes que te conectan a evolucionar en tu andar. El constructor de sus bases eres tú mismo, para servir desde la Paz».

— **Raúl Camacho Rodríguez**

99

Es muy probable que, en este momento de lectura, te estés preguntando cómo dinamizar toda esa estructura valiosa proveniente del Customer Experience (CX) y así poder lograr que ésta se fusione con la cultura de tu empresa y se extienda, en consecuencia, en todos los colaboradores. Esto quizá es uno de los mayores retos que puedes tener para alcanzar esa «milla extra» que tanto deseas para tener un producto de clase mundial al servicio de tus clientes externos y así lograr rentabilidad. Es allí donde entra en juego un sistema mucho más profundo, complejo, y preponderante en el universo de la experiencia, basado en inspirar, conectar, y transformar a las personas en cada momento del viaje que emprenden los clientes y usuarios: la hospitalidad.

En este capítulo explorarás el efecto dinamizador que tiene la hospitalidad como estrategia para transformar el servicio de las empresas de los tradicionales conceptos de atención al cliente, al concepto estructurado y efectivo del CX. Todo esto por medio un compendio de pasos que permiten hacerlos más cercanos y efectivos a la condición humana del cliente

Desde mi perspectiva, te comparto que la hospitalidad es, en primer lugar, una condición del ser humano en estar dispuesto a atender a una persona. Podría pensarse que esta palabra está destinada solamente al sector del hotelería o a la de un centro clínico. Sin embargo, es un concepto mucho más profundo, presente en todo tipo de empresa. Esto se debe a que constituye un pilar central dentro del concepto de servicio, siendo este último una suma de valores tanto tangibles como intangibles, que le ofrecemos a la humanidad.

No todos tenemos esa capacidad de conexión. La buena noticia es que hay técnicas para lograrlo. En mi programa de Clientología CX360 (estudio del cliente para desarrollo de estrategias de experiencias) lo llamamos «acompasamiento del cliente». Esta técnica comienza por el entendimiento del yo, es decir de tu propia personalidad. Y a partir de allí, equilibramos nuestras relaciones con el cliente de tal manera de llegar a llevarle el ritmo. Cabe aclarar que no hay una personalidad buena o mala... sencillamente somos.

El mapa no es el territorio

Si bien es cierto que el desarrollo de un plan de Customer Experience genera una sólida estructura y esa radiografía general y estratégica de cómo mapear experiencias de cliente por medio de herramientas como el Customer Journey Map, el Blueprint, los cuadros de arquetipos, e incluso los mapas de empatía. Comparto uno de los preceptos de la programación neurolingüística: «El mapa no es el territorio».

Esto quiere decir que las herramientas de Customer Experience se deben convertir en organismos vivos que tracen el camino a seguir, lo que lleva a tener un largo trecho andado. Sin embargo, el verdadero territorio, la cultura, y la conexión humana pueden llegar a potenciar o no dichas estrategias.

Una metáfora que utilizamos mucho los expertos en CX es que nuestros mapas son como las radiografías o resonancias magnéticas del sector de la salud. Pero esas herramientas requieren de un experto que las interprete, y siga la ruta para dar con asertividad con la cura de la parte del cuerpo humano que se está explorando. Así de igual funcionan las herramientas del CX: cobran vida por medio de nuestra manera de ver el mundo y por supuesto aplicando en cada momento esa forma cercana de entregar nuestro servicio.

Entonces, ante la estructura de los mapas requiere siempre hacerse siempre esta pregunta:

¿cuán cercanos somos? O, en otras palabras, ¿qué acciones dentro de cada momento del viaje del cliente serán las que en definitiva los haga sentir emocionalmente conectados con nuestro producto o servicio?

Lo que dicen los clientes y expertos

Diversos clientes y colegas me dieron su opinión de lo que para ellos era hospitalidad:

«Es un acto muy profundo de amor».

Maryely Martín. Venezuela

«Que una persona perciba desde el primer contacto la buena atención, hacer sentir bien, ser muy franco como transmites el mensaje».

Raúl Dávila. Perú

«Es estar dispuesto a recibir a las personas».

Rafael Mota. Venezuela

«Es ese vínculo más allá del servicio. Satisfacemos al cliente cuando simplemente le damos lo que él pide, en hospitalidad logramos esa estrecha relación o vínculo que creamos durante todo el viaje del cliente».

Waldin Durán. Perú

«Es la manera como te hacen sentir al llegar a una oficina. Es una condición del ser humano, eso que no lo da la estructura».

María Angelina Velásquez. Venezuela

«Va de la mano de la amabilidad y la cordialidad que tenemos las personas para querer sentir cómodas a las personas que llegan a nuestro contexto».

Olga Tibaduiza. Colombia

«Es la atención y la amabilidad que tenemos con personas que son externas a nuestra vida habitual».

Newman Gutiérrez. Colombia

«Es el verdadero arte de servir a partir del Customer Experience».

Milagros Serrano. México

«Es brindar una sonrisa sincera, indicando eres bienvenido al destino, a mi hogar o familia».

Adriana Mayo. Colombia

«Cuidado de la persona, atención cálida entendiendo la necesidad del otro, implica escucha para entender esa necesidad, y por supuesto trato personalizado, ir más allá de un guión».

Ana Yancey Hernández. Colombia

«Es la capacidad que podemos desarrollar para acoger o recibir a una persona ajena a nuestro lugar, de una forma tan cordial y llena de camaradería que lo hagamos sentir muy bien y con ganas de regresar».

Cristian Morales. Guatemala

«Es el don de servir auténticamente».

Juan Pablo García Clavijo. Colombia

Ante este número de opiniones, las cuales agradezco enormemente, puedo complementar que la hospitalidad constituye la flama que enciende las emociones del cliente en su viaje de experiencias por el servicio o producto que está consumiendo. Incluso, esto abarca los momentos de la gran promesa, justamente cuando está actuando el marketing y la venta. Allí por supuesto que también influye esa cercanía, la calidez, y el vínculo más allá del servicio. Por ende, hasta los terrenos de la post venta llegan los niveles de hospitalidad.

¿Se nace con el don de la hospitalidad? Sí y no...

De niño yo observaba cuando llegaban invitados a pasar unos días en mi casa en San Felipe, Venezuela y mis padres cedían su mejor cama, usualmente la de ellos, para que estos invitados se sintieran mejor que en su propia casa. Ni hablar de los espectaculares desayunos criollos que se servían, ¡hasta mejores que los de nuestro día a día! Yo crecí viendo eso y así lo he aplicado en mis negocios, y en mis talleres con mi propio lema de *Inspirar, Conectar y Transformar*. Esto me llevó a entender que la hospitalidad como principal valor del servicio se puede transmitir.

¡Buenas noticias! Esa transmisión de conocimientos se logra con algo que se llama «sistema de aprendizaje por modelado».

Y, ¿cómo funciona?

Muy simple; tú eres ese cambio, ese ejemplo que quieres ver en los demás. La clave está en mirar dentro de ti y saber cómo estás con respecto a esos conceptos de dar bienestar al otro (vuelve, lee, y analiza tu emocionalidad ante las opiniones de mis colegas y clientes que te mostré en el cuadro anterior).

Luego actúas y das el ejemplo. Quiero compartirte que bajo este concepto tuve la oportunidad de crear y dirigir hace unos años un centro de estudios para la hospitalidad que aún existe. Todo ese lugar es un laboratorio de servicios, donde sus docentes dan el ejemplo. Corre por sus venas el don y eso se puede palpar y, en consecuencia, modelar a sus estudiantes. En paralelo ocurren los estudios formales, siempre con el valor del servicio. Siempre...dando el ejemplo. Imagina lo que puedes hacer tú para incorporar la hospitalidad en tu ámbito profesional para *Inspirar, Conectar y Transformar* personas.

Palabras claves de la hospitalidad, según lo que espera el cliente:

- *Estar bien*
- *Autenticidad*
- *Cercanía*
- *Bienvenido*
- *Sentirse bien*
- *Un lugar para estar*
- *Detalles pequeños*
- *Estrecha relación*
- *Vínculo*
- *Ir más allá*
- *Conexión*
- *Estar presente*
- *Amor*
- *Calidez*
- *Escuchar*

Una herramienta para incorporar la hospitalidad en la estrategia de experiencia del cliente: Clientología CX 360.

Llegas a una oficina y tu experiencia puede ser espectacular, buena, o mala. Esto ocurre no por la oficina en sí, ni su estructura o belleza (esto podría ser un factor de primer impacto positivo) sino es el cómo te hacen sentir en cada momento del viaje lo que dejará la huella. Ese verdadero complemento.

«La Clientología es un estudio de aguas profundas de lo que sucede con el cliente en una estrategia de Customer Experience con una visión de 360 grados. Allí son monitoreadas las reacciones, la ejecución, y la dinámica de aplicación de la cultura de servicio en una empresa, tomando en cuenta lo que realmente quiere el cliente».

Las nuevas tendencias de la comercialización de productos, basadas en el CX, indican que los clientes buscan un servicio que sea fácil de experimentar, con un toque personalizado, que haya transparencia y congruencia en lo que reciben. La gran novedad es que, en los nuevos tiempos, los clientes reportan que lo que realmente les mueve a consumir productos y servicios es llegar a ser transformados en sus vidas.

Las empresas de hoy, cuando les hablan de Customer Service, automáticamente piensan que todo está dicho en esa materia. De alguna forma, tienen razón. Lo que falta es dinamizar esos conocimientos y procedimientos en una cultura que se integre con el ADN empresarial y en los principales productos. Existe una forma de integrar todos esos conocimientos y puntos ciegos del servicio por medio de la Clientología.

¿Qué es lo fascinante de la Clientología CX360?

Que se basa en indagar más que proponer. Es escuchar, pensar como el cliente desde una posición perceptiva diferente a la que poseemos. Y a partir de allí, contextualizar los productos y su estrategia de mercado.

Modelo de Clientología CX360 para el desarrollo de la cultura de hospitalidad en el servicio

En primer lugar, la premisa de la hospitalidad está en fortalecer la innovación, la calidad del servicio, y la cultura de la empresa.

Pasos para aplicar en la empresa:

- Revisión de las bases del servicio: en esta etapa se evalúa si el propósito de servir está alineado con los preceptos de la hospitalidad: Inspirar, conectar y transformar. Además de profundizar en el desarrollo intrapersonal de quienes prestan el servicio.
- Análisis de la psicología del cliente: es la etapa empática del modelo, en el que se evalúan los arquetipos y las tipologías de personalidad, y se desarrollan estrategias de acompasamiento del cliente (llevar el ritmo).
- Gestión de emociones: es la etapa de analizar los mapas de empatía y a partir de los puntos de dolor y metas del cliente, crear esos puntos de placer y escape que aumenten la percepción de hospitalidad.
- Comunicación y persuasión: es el desarrollo de una estrategia de lenguaje influyente e invitacional (base de la hospitalidad) además de persuasivo mediante la técnica de preguntas poderosas que permitan una toma de decisiones del cliente más enmarcada dentro del ejercicio de la deontología del servicio (ética).
- Herramientas CX en la práctica: en este nivel se aplica la estrategia CX con el factor adicional de revisar momento a momento en contraste con el análisis de la estrategia de sensaciones relacionadas con el concepto de hospitalidad. Se suelen hacer cuestionamientos como, por ejemplo: «¿Cuán cercano y cálido es mi servicio en este momento de verdad en específico?». De esta manera se convierten los mapas del CX en organismos vivos.

- Formalización del servicio: es la etapa en la que se socializa, se inspira al personal a ser cocreadores del concepto de servicio y hospitalidad.

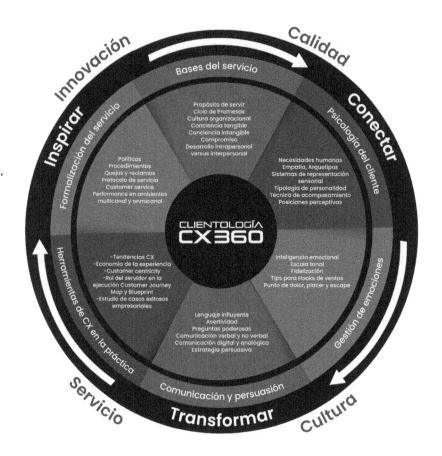

Gráfico del Modelo de Clientología CX360
Diseño: Raúl Alfonso Camacho R.

¿Cuál es el sentido de la hospitalidad?

Está comprobado que cuando generamos esa cercanía por medio de la hospitalidad, los clientes se vuelven más fieles. Lo que sucede al hacer consciente lo hospitalarios que podemos ser, es que ayudamos a nuestro cliente a acercarse muchísimo más a ese placer que buscan para huir de los puntos de dolor. Es por ello por lo que nuestro mensaje no siempre debe estar enfocado a la mente racional. Muchas veces hay que hacer a un lado la presentación de productos que suenan técnicos, planteados con mucha estructura. La hospitalidad invita a ofrecer al cliente lo que quieren, pero finalmente entregar lo que realmente necesitan. El propósito en todo este proceso es mover a las personas, conectarlos con lo emocional y en la mayoría de las veces con su mente reactiva, esa que está relacionada con la supervivencia.

¿Cómo generamos un entorno de hospitalidad en el viaje del cliente?

Para construir modelos de experiencia al cliente llenos de hospitalidad, puedes retomar los principios de la Pirámide de Necesidades de Abraham Maslow.

Luego toma tus mapas CX (Customer Journey Map / Blueprint) y comienza a revisar qué necesidades estás cubriendo en el proceso:

1. Supervivencia: es muy importante, ya que para una persona que solo tiene esta necesidad, no le importa el resto de las propuestas. Entonces es probable que esté fuera del rango de arquetipo de clientes.
2. Seguridad: es importante generar sensación de estar fuera de peligro.
3. Pertenecer: ya cubro mis necesidades, sobrevivo, ahora quiero pertenecer y compartir intereses. A partir de esta necesidad es donde comienza la fluidez en la prestación de servicio, en especial lo de *high ticket*.
4. Autoestima: proporcionar sensación al cliente que es capaz.

** Las personas valoran servicios sencillos que no hagan tantas promesas a la vez.

5. Cognitiva: propiciar y apoyar ese deseo de tu cliente de poseer conocimiento, entender el mundo, expandirse.
6. Estética, deseo de orden: cómo podemos colaborar para que ese mundo que vive el cliente sea percibido como perfecto para sí mismo.
7. Autorrealización: los problemas de las personas no son siempre de dinero, sino que no conocen cómo hacer las cosas.
8. Trascendencia: esta es una de las más avanzadas zonas que puedes cubrir del cliente, ya que en este momento está en la capacidad de compartir su propio potencial.

Las personas que ya están en trascendencia son las que en definitiva se vuelven fan de tu producto.

Toma en cuenta que los clientes, cuando definen hospitalidad, suelen mencionar la frase «sentirme bienvenido»; esto está muy relacionado con:

- La necesidad de pertenecer a un grupo
- La necesidad de validación externa
- La búsqueda de placer a corto plazo para evadir la realidad
- Búsqueda de distracción
- El miedo a quedarse por fuera
- Miedo al juicio

Fuente: Diana Zuluaga 2022

¿Se puede marcar la diferencia con la hospitalidad?

Muchos hablan de marcar la diferencia, y me he dado cuenta en múltiples conversaciones que más bien debemos tender a ser más auténticos.

Por el simple hecho de existir, ya somos diferentes, y la clave es conectar con esa pasión. Donde tu pasión es el resultado de todo aquello que haces de manera fácil combinado con aquellas cosas que te fascinan hacer. Para ser un excelente servidor, es importante conectar y ser un ciudadano del mundo.

Claves para conectar desde tu ser para lograr el verdadero cambio hacia una cultura de hospitalidad en el CX

Quiero compartirte que no es un pecado el no manejar a la perfección ese arte de la hospitalidad. Sin duda alguna, es como un músculo que hay que trabajar y en especial bajo el entendimiento que conlleva un proceso de cambio en ti. Luego lo podrás ver en los demás. La filosofía que me ha acompañado en mi proceso y que te quiero compartir es manejar los procesos con *intención, atención y no tensión* (tal como lo describo en mi libro Yo Servidor: El Arte de Servir para triunfar (2019)).

Cuando tienes *intención,* tienes la disposición de hacer algo, de dar el comienzo. Es posible que te conectes con tus aspiraciones más profundas. Sueña, solo que de manera casi inmediata ejecuta el plan de acción que te haga sentir que esa meta la estás alcanzando de manera excelente. Un tip: comienza por cualquier paso.

Cuando tengas esa meta establecida, entonces ya estás en la segunda dimensión, que es la *atención*, la cual se refiere a tener muy en claro lo que quieres, y si es posible, los pasos.

«Algo importante para destacar es que, en el proceso de cambio, los pensamientos negativos podrían contagiarnos como una gripe. Es importante alejarlos y seguir adelante con lo que nos hemos propuesto. En este proceso de inmunización hacia el «no», debemos detectar cuánto poder le otorgamos al juicio de los demás y a la costumbre. Nuestro comportamiento como un servidor excelente y por ende triunfador está relacionado con la confianza que depositamos en nuestras propias virtudes. Entonces es importante prestar atención a lo que realmente favorece nuestra performance como servidor.» - Libro: Yo Servidor: El arte de servir para triunfar de Raúl Alfonso Camacho Rodríguez. 2012

Esta podría ser tu escala de valores para la hospitalidad:

- Compromiso social: estar al servicio de la humanidad.
- Ecología: que nuestras acciones no dañen a otros.
- Servicio: dar lo mejor de nosotros a la humanidad.
- Excelencia: que el camino de la felicidad se construya con calidad.
- Pasión: poner mucho entusiasmo que contagie.
- Ética: cumplir con los códigos universales.
- Humildad: igualdad.
- Imagen: inspirar a los demás.

Finalmente, la *no tensión* las logras dejando fluir las cosas. Conéctate con la energía del entusiasmo.

Escuché en una entrevista que le hicieran por televisión a Marci Shimmoff, autora del libro *Feliz porque sí* y de uno de los libros de la serie *Sopa de pollo para el alma*, resumirlo de la siguiente manera:

Intención: es tener claro lo que tú quieres, fijar un destino, y luego sentir de verdad que se ha llegado a él.

Atención: es experimentar tus pensamientos y sentimientos una vez que sabes lo que quieres, y accionar los pasos necesarios como para que se manifieste lo que visualizaste durante la intención.

No tensión: es el relax y la baja ansiedad que deben generarse al enfocarnos solo en la meta. Descubre el mundo de posibilidades que se presentan durante el proceso. Cuando creemos firmemente en lo que queremos, dejamos fluir la situación y hacemos lo mejor. Entonces viene la felicidad y esta felicidad atrae mayor entusiasmo y paz.

Fases del Cambio

Desde mi experiencia, he podido vivir varios procesos de cambio. Entre ellos, el hecho de decidirme a escribir mi primer libro. Por esta razón he podido identificar algunas fases del cambio:

1. *Me siento estancado*
   En esta fase sabes que necesitas cambiar, pero no identificas aún de qué manera. Te invito a preguntarte: ¿qué te lo impide? ¿Qué te limita?
2. *No sabes el camino*
   En esta etapa ya has tomado la decisión de ejercer el cambio, sin embargo, tienes dudas de cómo iniciarlo. ¿Cuáles son tus opciones? ¿Cuál de ellas es más ecológica para ti?
3. *Evaluar tus viejos hábitos*
   Aquí es posible que de una u otra forma tus hábitos apalanquen el cambio. ¿Cuándo te funcionan tus viejos hábitos? ¿Cuándo no te funcionan?
4. *A la búsqueda del cambio ideal*
   ¿Quién podría aportar asuntos positivos? ¿Qué elementos actuales del cambio o de otras personas te gustaría adoptar? ¿Qué cosas debes hacer de manera diferente?
5. *Recibes el cambio*
   En esta etapa es posible tener el control de las situaciones.
6. *¡Eres otro!*
   Tus antiguos hábitos se han modificado en pro de tu bienestar, así como el de los que te rodean.

En resumen, la hospitalidad nació de la atención hacia el otro para lograr un bienestar. Esa sensación ha sido trasladada a los procesos estructurados de experiencia del cliente en diferentes tipos de empresas, para darle vida a un mundo de posibilidades en las que las emociones y sensaciones son el motor que transforma en entes vivos todos los mapas que son diseñados en la estrategia del CX.

Casi en paralelo es importante iniciar un proceso de transformación en la cultura, ya que muchas veces esa cultura, o potencia o destruye la estrategia. Una forma de ponerla al servicio del CX es internalizar que el primer cambio está en ti, luego eso se expande casi de manera natural al resto de la organización. Me gusta utilizar la frase de mi amiga Ana de Angelis: *«Las palabras convencen, los ejemplos arrastran»*. En la coherencia de tus acciones está gran parte de la clave de la evolución del servicio en tu empresa, a tu alrededor. Incluso cuando somos clientes nos convertimos también en esos agentes de cambio.

El sentido de la hospitalidad

*«Transmitir nuestra esencia y dar, para conectar y empatizar con respeto la situación del otro y así alcanzar metas, y a la vez apoyar a quien lo necesita, siendo ecológico, floreciendo prados por donde pasamos. Cuando está*s en modo servidor *sabes perfectamente quien eres y para qué estás en el mundo Siempre inspirando, conectando y transformando a tu alrededor».*

Raúl Alfonso Camacho R.

HOSPITALIDAD

Roxana Dalila Escamilla Vielma

Semblanza: Roxana es una apasionada del aprendizaje. Ha sido expositora en congresos internacionales de temas como el servicio al cliente interno y externo. Ha desarrollado investigaciones sobre las habilidades blandas, como la hospitalidad, el trabajo en equipo, la comunicación efectiva, la resolución de problemas, y la motivación, colaborando en los sectores de la educación, manufactura y del comercio, donde ha diseñado y gestionado áreas de capacitación, centros de entrenamiento, y universidades e-learning. Ha desarrollado programas e instructores internos que permiten establecer los pilares para establecer en las organizaciones el círculo virtuoso del conocimiento.

Roxana es doctora summa cum laude especializada en Capital Humano por parte de la UANL, y ha creado, operado, y participado en programas de liderazgo, pero sobre todo, es una generadora de procesos de transformación cultural e innovación en las organizaciones, que las hace más humanas y eficientes.

Intención: Actualmente las organizaciones están inmersas en un entorno muy cambiante. En este ambiente tan dinámico, las organizaciones ofrecen categorías de productos o servicios con características muy similares, a las cuales algunos les llaman segmentos. Desde hace un par de años, el servicio ha sido una tabla de salvación para que las organizaciones permanecieran en dicho mercado, es decir, ante un segmento de precios y características o atributos similares, el diferenciador era o es el servicio al cliente. Sin embargo, hoy en día se requiere de una cultura interna en la que se viva la hospitalidad, entendida esta como el sentido más profundo del servicio y atención al cliente, y de esta forma poderla transmitir a los visitantes o huéspedes, de tal forma que les hagan sentir como en casa, que deseen volver, que recomienden la experiencia a más personas; ...ahí es cuando la hospitalidad impacta de forma exitosa a la organización.

LA HOSPITALIDAD COMO DIFERENCIADOR EN LAS ORGANIZACIONES.

66

«El sentido más profundo del servicio al cliente es la hospitalidad y esta es el camino que hace la diferencia en las organizaciones exitosas».

— **Roxana Dalila Escamilla Vielma**

99

Marco conceptual.

Iniciaremos definiendo algunos conceptos que ayudarán a comprender mejor la lectura del capítulo. Entre ellos, están el servicio al cliente y su evolución, la hospitalidad, las organizaciones exitosas, la cultura organizacional, y la diferencia entre cliente y huésped o visitante. Algunas de estas definiciones las trabajé como parte de mi tesis sobre el servicio al cliente y la hospitalidad. ¡Empecemos el viaje!

Antes de 1990, el servicio al cliente era percibido como una serie de pasos, con un enfoque muy poco flexible; inclusive existía un departamento de atención al cliente. Lo anterior desvirtuaba el enfoque de servicio al cliente en toda la organización, limitándose a una actividad en un solo departamento. Sin embargo, todo esto cambió a partir de las teorías de los autores clásicos como; Albrecht (1990), Carlzon (1991) y Kotler (1998), quienes impulsaron el tema del servicio al cliente como se menciona a continuación.

Albrecht (1990) señaló que cuando las organizaciones enfocan sus esfuerzos hacia mejorar el servicio al cliente, tendrán con mayor seguridad la lealtad del cliente y perdurarán en el mercado. Propuso que las organizaciones se centren en el cliente, y que a su vez esto sea la fuerza motriz del negocio.

Carlzon (1991) fue otro autor que marcó una tendencia importante en el tema del servicio al cliente con su libro: «El Momento de la Verdad». En él menciona que las interacciones de los colaboradores de primera línea de la organización con los clientes son llamadas los momentos de la verdad. Lo que suceda en esos momentos, marcará al cliente para que decida seguir con los productos o servicios que se le ofrecen en la organización, o bien decida obtenerlos en la competencia. Estos momentos son experiencias que el cliente va experimentando y van quedando registradas en su memoria. Estas experiencias deben ir cumpliendo sus expectativas de tal forma que, si las experiencias del trato y servicio son de su agrado, generará lealtad y esto hará que el cliente permanezca e inclusive, regrese.

Kotler, Armstrong, & Zepeda (2013), mencionan al servicio al cliente como determinante para lograr la lealtad del cliente hacia el producto, servicio o hacia la marca. Establecen que el servicio al cliente debe transformarse en experiencias positivas, las cuales tienen como resultado, entre otros beneficios, la lealtad, el valor de la marca, la credibilidad y la permanencia del negocio en el mercado.

Con el impulso que dieron estos autores al servicio al cliente, se gestaron al respecto nuevos conceptos, ideas y prácticas. Una de las definiciones que conceptualiza bien la razón de ser del servicio al cliente es la que presentaron Leppard, Molyneux, & Santapau (1998), que además sigue vigente y se podría adoptar para este capítulo: el servicio al cliente es el valor agregado que constituye el esfuerzo y buen trato que los colaboradores de las empresas brindan en las transacciones para que el cliente quede satisfecho con el bien o servicio adquirido. Esto lo realizan en las organizaciones para que el cliente se sienta importante y lo denominan el factor de sentirse bien, el cual incluye cortesía y receptividad en los encuentros con el cliente, dedicación por solventar los obstáculos para beneficiarlo, así como el ofrecimiento de un trato personalizado, entre otros.

A continuación, se menciona cómo fue apareciendo la hospitalidad en el escenario de forma paralela y consecuente al servicio, y como ha trascendido en las organizaciones.

La hospitalidad como atributo en los negocios inició en los sectores del turismo, salud, inclusive en la educación y en los restaurantes, fue en la práctica cuando se observó que este atributo cultural en las organizaciones, producto de esta habilidad en los colaboradores de primera línea, marcaron la diferencia en el cliente. Esto se logró mediante el servicio y el trato que se le daba, de tal forma que la hospitalidad fue ganando terreno e importancia en otras industrias. Mientras el servicio al cliente fue evolucionando poco a poco de ser un departamento a ofrecer en realidad un buen trato y atención al cliente, paralelamente la hospitalidad nació en los sectores antes mencionados, con un enfoque propio de hacer sentir al cliente o huésped como en casa, inclusive excediendo sus expectativas antes de que él las pensara.

Para efectos de este capítulo, se definirá a la hospitalidad como el conjunto de acciones desinteresadas encaminadas a satisfacer las necesidades de los clientes. No consiste únicamente en saludar y prestar ayuda al cliente; también hace referencia a la calidez en el saludo y la sinceridad en toda la ayuda ofrecida. La hospitalidad se trata de que todas las interacciones entre el colaborador y cliente sean de calidad. También engloba aspectos que en ocasiones no pueden medirse como; una sonrisa, un gesto cálido de bienvenida, y un tono de voz amable y acogedor (Vázquez, 2014).

Ahora bien, como parte de las definiciones introductorias están la cultura organizacional y las organizaciones exitosas, una definición de cultura organizacional en palabras sencillas. Es el conjunto de creencias y valores convertidas en acciones por los integrantes de una organización, de tal forma que puede ser percibida al interior y por la comunidad exterior. Por otra parte, una organización exitosa es aquella que tiene al menos estos cinco componentes:

1. Satisfacer el mercado y lograr la lealtad de los clientes,
2. Innovación y cambio,
3. Uso de la tecnología para la competitividad,
4. Generación del cambio,
5. Valoración y desarrollo del talento humano,
6. Rentabilidad, sostenibilidad, y sustentabilidad.

Finalmente, es importante definir tres conceptos más: cliente, huésped, y diferenciador. En un contexto comercial, un cliente es aquella persona física o jurídica que accede a un determinado producto o servicio por medio de una transacción financiera u otro medio de pago. Los tipos de cliente son dos: el interno y el externo, donde el interno es aquel que forma parte de la empresa, a él se le provee una parte del producto final o un servicio para que le pueda agregar valor y una vez que está terminado, ofrecerlo al cliente externo (Vértice, 2009).

Por otra parte, los clientes externos son aquellas personas que adquieren los productos terminados y/o servicios ofrecidos. Son la fuente de ingresos que sostienen las operaciones. Es decir, son las personas cuyas decisiones determinan la posibilidad de que la organización prospere a través del tiempo. El cliente final es quien compra los productos o adquiere los servicios (Torres & Pérez, 2010).

En los sectores en los que se vive la hospitalidad, algunas organizaciones les llaman diferente a los clientes. Los denominan huéspedes, visitantes o invitados. Lo hacen así por convicción; los conceptualizan más allá de una persona que hace una transacción económica para la adquisición del producto o servicio. En ellos ven a una persona a la cual es necesario tratar de forma extraordinaria; hacerlos sentir como un huésped, ofreciéndole lo mejor en trato, servicios, productos, etc., de tal forma que su estadía en la organización sea como un... estar en casa.

Para efectos de este capítulo, homologamos el significado de cliente, llevándolo al nivel de huésped. Es decir, cuando se mencione al cliente, se estará haciendo referencia a una persona que potencialmente hará o ya realizó una transacción económica por un bien o servicio, a quien además se le ofrecerá un trato como a un huésped, visitante o invitado, excediendo sus expectativas en calidez, atención y amabilidad.

El diferenciador

Al plantear los conceptos y la evolución del servicio al cliente, así como la hospitalidad, es cuando surge la necesidad de mencionar la palabra «diferenciador». En este sentido, se puede especificar que comúnmente en los mercados existen categorías de productos o servicios y por lo general estas categorías son determinadas por el precio, y en ellas se ofrece tecnología, confort, seguridad, y/o beneficios o atributos propios de ese precio. A estas categorías también se les llama segmentos de mercado, de tal forma que, en el mercado, las diferentes marcas u organizaciones ofrecen atributos o características similares, dependiendo del segmento del producto o servicio y estas categorías están determinadas por el precio.

Por poner un ejemplo, en el sector de las agencias de automóviles, están los autos de lujo y los comerciales. Dentro de los automóviles comerciales, estos están segmentados según los precios, inclusive de un modelo hay diferentes versiones, que van de la más austera a la más equipada. Estos segmentos o categorías son similares en todas las marcas. Pero entonces, ¿por qué los clientes se inclinan más por un producto que por otro? ¿Por qué se prefiere más a una agencia que a otra? ¿Por qué se busca más a un asesor o vendedor que a otro(a)? Uno de los determinantes y un común denominador ante productos y precios similares, es la atención, calidez, trato amable; es decir, la hospitalidad que hacen sentir al cliente. En algunas organizaciones, lo antes mencionado es de forma muy sencilla el servicio al cliente, mientras que, en otras organizaciones más conscientes, o que han avanzado en un sentido más profundo del servicio... es la hospitalidad.

La hospitalidad consiste en ofrecer una experiencia única, en hacer vivir o crear impactos vivenciales a los clientes en un entorno rico en estímulos dirigidos hacia los cinco sentidos. Es el contacto directo y emocional con los clientes; es decir, generar situaciones positivas memorables, inclusive antes que él lo solicite. **Lo anterior dará como resultado estar en la memoria del cliente, y eso lleva a una alta diferenciación**. Este enfoque de la hospitalidad busca lograr relaciones sólidas y duraderas con los clientes, por medio de un trato cálido y amable, que lo deje contento con el servicio y producto ofrecido, o bien con la solución a alguna situación problemática. Como consecuencia de este trato, se generarán relaciones a largo plazo que permitan que se pueda innovar en productos o servicios para los clientes actuales, y por ende esto atraerá a nuevos clientes. Por otra parte, con los clientes contentos (satisfechos, e inclusive agradecidos) se va entrelazando la lealtad y la permanencia del negocio a través del tiempo, los cuales son atributos de las organizaciones exitosas.

Elementos indispensables en la cultura de la hospitalidad.

Pero ¿cuáles son los 10 elementos indispensables que se sugieren para impulsar en la organización para iniciar la cultura de la hospitalidad?

1. Sonríe.- Una sonrisa genuina siempre rompe el hielo.
2. Mantén un contacto visual respetuoso con el cliente.- Siempre considerando que se sienta cómodo y con la atención apropiada. No de forma incómoda.
3. Saludo de bienvenida.- «Bienvenido a _____, ¿en qué le puedo ayudar?». Recuerda hacerlo genuinamente con el deseo de apoyar, es decir, que no se vea exagerado.

4. Trata con cortesía a los clientes.- Evita la confianza excesiva.

5. Cuida el tono de voz y el ritmo.- Trata de no reflejar prisa ni ansiedad.

6. Dirígete a los clientes de Ud.- La sugerencia es que puedas identificar cómo le gusta que le llamen a la persona con la que estás tratando (al cliente); si por algún título (Dr., Lic., Sr., etc.), o bien por su nombre o apellido. En un inicio, sería por el prefijo de Sr. o Sra. y su apellido. El tiempo y el conocimiento del cliente determinarán la forma apropiada y correcta después de esto. *Recuerda no perder de vista que el respeto es importante en todo momento.*

7. No digas que no; busca una solución.- Los clientes son muy inteligentes y perciben cuando no se quiere resolver una situación, cuando no se tiene la intención de ayudar, o cuando unas personas o áreas de la organización están en desacuerdo con otras (conflicto). Aún cuando no está a tu alcance, busca dar la solución, involucra a tu jefe, etc. de tal forma que el cliente termine satisfecho. Lo ideal es que todos en la organización estén alineados hacia el cliente, y sobre todo, que lo hagan conscientes y genuinamente.

8. Mantén limpio y en orden tu lugar de trabajo.- Parecería que solo el trato y la atención son relevantes, pero sorpresivamente no es así; cuando los clientes ven un lugar limpio y en orden en cualquier parte de la organización, sienten que existe respeto y cuidado hacia ellos. Lo perciben así inclusive si el espacio es el lugar de trabajo de un colaborador. Mantén esto en mente; la mayoría lo pasa por alto.

9. Despedida cordial.- «¿Algo más en lo que le pueda ayudar?» Si hay algo más, resuélvelo de forma amable, y cuando ya haya terminado su experiencia, es decir, al finalizar todo el proceso, te recomiendo un cierre como: «Gracias por haber

visitado _____, que tenga un bonito día», o «lo esperamos pronto de regreso». Hay que recordar que el cliente percibe cuando las preguntas, palabras, y el mensaje son genuinos, también percibe cuando en realidad no se desea ayudar. Tanto en la bienvenida como en la despedida, el protocolo de contacto ha cambiado a través del tiempo: antes, tocar en el hombro era una buena señal de cortesía y cercanía; con la pandemia y el respeto a la distancia de 1.5 a 2 metros de separación, se prefirió el no tener contacto físico. Hoy en día, esto es muy variable; lo recomendado es saludarse solo de forma verbal y en caso de que la persona extienda la mano, contestar el saludo o la despedida.

10. Considera tu imagen personal.- De la misma forma que la limpieza y orden en el lugar denotan atención hacia el cliente, también el aspecto personal de los colaboradores lo es, sobre todo los colaboradores de primera línea (los que están en contacto con los clientes) y que en ocasiones son a los que menos se les pone atención, de ellos se requiere cuidado en su imagen y persona. La imagen personal significa limpieza. En las mujeres: ropa en buenas condiciones (no significa de marca, sino planchada, no arrugada) y limpia, peinado discreto y boca aseada; evitar escotes pronunciados, faldas muy cortas, pantalones muy ajustados, exceso de maquillaje, mantener uñas cortas y limpias. En los hombres: evitar camisa desabrochada, pantalones muy ajustados o tallas muy grandes, limpieza, peinado apropiado, boca aseada, manos y uñas limpias. En ambos casos se recomienda no usar un perfume o loción en exceso que sea muy fuerte. Tener un aroma muy fuerte se toma como una invasión a la distancia aceptable de la persona, que es 1.5 o 2 metros aproximadamente.

Componentes de la cultura de la hospitalidad

¿Qué consideraciones debe tener la organización para que pueda implementarse una cultura de la hospitalidad, y de esta forma pueda surgir esa como diferenciador?

La sugerencia es que estos componentes que aparecen en la siguiente figura, se vivan a lo largo y ancho de toda la organización, sin excepciones.

Reflexión

Cuando toda la organización:

- Esté alineada hacia el cliente, en atención, con un trato cálido, en el que se le resuelvan las situaciones por las que acudió por el producto o servicio.

- Tenga en claro que sus procesos, sistemas y razón de ser tienen al cliente como la parte central.

- Valore al cliente como una persona única y se generen para él un cúmulo de experiencias agradables en cada parte del proceso.

- Logre que el cliente se sienta en confianza, perciba un interés genuino de ayuda, apoyo y además perciba que ganan ambos: cliente y organización.

Entonces, ellos, «los clientes», regresarán, volverán a casa, porque eso debe ser la organización y su estancia en la empresa... **«su espacio, su casa»**.

Este trato es la esencia que distingue a una organización de las demás **y entonces, pero sólo entonces, se logrará la lealtad, la diferenciación y la permanencia en el mercado que tienen las organizaciones exitosas.**

Referencias:

Albrecht, K. (1990). *La revolución del servicio*. Bogotá, Colombia: Legis.

Carlzon, J. (1991). *El Momento de la Verdad*. Madrid, España: Díaz de Santos, S.A.

Kotler, P. (1998). El desafío de crear experiencias. *Revista HSM Management, 4*(62), 94-99.

Kotler, P., Armstrong, G., & Zepeda, A. M. (2013). *Fundamentos de Mercadotecnia*. México: Pearson Educación.

Leppard, J., Molyneux, L., & Santapau, A. (1998). *Cómo mejorar su servicio al cliente*. Barcelona: Gestión 2000.

Torres, V., & Pérez, C. (2010). *Calidad total en la atención al cliente*. Vigo, España: Ideas Propias Editorial SL.

Vázquez, R. (2014). La Hospitalidad en el Servicio: De la Estandarización a la Personalización. *Hospitalidad ESDAI, 1*(26), 23-36.

Vértice, E. (2009). Tipología de los clientes. In *Atención eficaz de quejas y reclamaciones* (p. 243). Malaga, España: Publicaciones Vértice S.L.

HOSPITALIDAD

Tere Lozano

Semblanza: Tere cuenta con más de 25 años de experiencia en las áreas de mercadotecnia, ventas y exportaciones en empresas multinacionales de productos de consumo e investigación de mercados como Nielsen, Quaker Oats y Productos Del Monte, entre otras. Su vida profesional se transformó al vivir un proceso de *coaching* ejecutivo que la inspiró a iniciar una nueva etapa en su vida laboral formándose como *coach* y consultora organizacional.

El propósito de Tere es dejar huella en el mundo inspirando a otros a dejar la suya propia. Dicho propósito la catapultó para fundar YOICA *Coaching* y Consultoría en 2014. Tere tiene una licenciatura en Administración por el ITAM, cuenta con diversas certificaciones internacionales de *Coaching*: *Master Coach* por la AIAC (Academia Interamericana de Coaching), Meta *Coach* por la ISNS (Sociedad Internacional de Neuro Semántica), *Coach* Transformacional por el ITESM, y PCC por la ICF (International Coach Federation), entre otras.

Intención: Mi propósito al escribir este capítulo es contribuir a hacer conciencia acerca de cómo ha evolucionado el liderazgo en los últimos años. El mito de que tener una posición como líder por los años de experiencia, la trayectoria en una empresa o los títulos académicos obtenidos a la fecha está quedando en el olvido. El líder que trasciende, que inspira, que deja huella y lleva a su equipo al logro de objetivos es aquel que tiene una vocación de servicio.

Este capítulo pretende dejar huella creando conciencia acerca de la forma en que estás liderando hoy en día. No importa si tienes o no un equipo que te reporta, si el nombre de tu puesto es jefe, gerente, director o CEO, incluso si eres padre o madre de familia, si eres ama de casa, independientemente de lo que hagas, si **eres** un líder, al menos de tu vida... ¡Bienvenido! Estás en el negocio del servicio y hospitalidad.

¿ERES LÍDER? ¡BIENVENIDO AL NEGOCIO DE SERVICIO Y HOSPITALIDAD!

«Hoy en día, el líder que inspira, el líder que logra sus objetivos y trasciende es aquel que está al servicio de su equipo, sus clientes, su entorno».

— **Tere Lozano**

Cuál es la razón por la que te doy la bienvenida al negocio del servicio y la hospitalidad? Para responderte hablaré primero de estos dos términos que escuchamos muy seguido y quizá no nos hemos detenido a entender. Empezaré por el más sencillo.

Servicio:

Definido como la condición de servir, es decir, de dar, prestar apoyo o asistencia a alguien valiéndose de un conjunto de medios materiales o inmateriales.

En mi percepción, este concepto es el más sencillo de los dos, ya que hoy en día es difícil encontrar una organización, independientemente del giro en el que participa, que no tenga al menos una persona enfocada en el servicio al cliente. En muchas empresas esta posición ya es incluso un equipo numeroso. Pensemos por ejemplo en una institución bancaria: las áreas de servicio al cliente están formadas por equipos muy numerosos, incluso con atención 24/7.

Hospitalidad:

La hospitalidad es una virtud que consiste en tratar bien, con amabilidad al prójimo. El término, cuyo origen se halla en el latín *hospitalitas*, contempla la **asistencia** y la **atención** de todo aquel que necesita algo.

Los dos términos, tanto servicio como hospitalidad, giran en torno a los siguientes temas:

- Conocer la necesidad de la persona.
- Crear un ambiente en el que la otra persona se sienta bienvenida, cómoda.
- Hacer lo posible para que la persona se sienta entusiasmada con lo que requiere hacer.
- Estar atento a la emocionalidad de la persona.
- En todo momento preguntar: ¿en qué puedo ayudarte? ¿Necesitas algo?
- Resolver cualquier problema que tenga la persona con relación al producto o servicio que se le está proporcionando.

El anfitrión es el responsable de que la persona bajo su responsabilidad disfrute la razón por la cual se encuentra ahí (ya sea tu casa, tu restaurante, tu hotel, tu negocio, etc.).

Quizá para este momento ya te estás dando cuenta de por qué te doy la bienvenida al negocio del servicio y hospitalidad si funges como líder. No importa si tienes o no un equipo que te reporta, si el nombre de tu puesto es jefe, gerente, director o CEO, incluso si eres padre o madre de familia, si tu responsabilidad es cuidar de tus hijos, llevar las responsabilidades de la casa y de la familia fuera de un entorno corporativo, independientemente de lo que hagas, **eres** un líder, al menos de tu vida.

Cualquier persona puede llegar a una posición de liderazgo, lo que no quiere decir que cualquier persona sea líder. Dicho de otra forma, no es la autoridad la que te convierte en líder, es el hecho de que le generes confianza a las personas, que crean en ti y que las inspires a generar los caminos que te lleven al logro de un fin común.

A lo largo de las intervenciones que he tenido tanto en procesos de *coaching* grupales como individuales, me gusta integrar algunas preguntas acerca de la razón por la que eres líder (independientemente del entorno en el que te encuentres). La forma en cómo abordar este tema es con dos preguntas muy sencillas:

- ¿Por qué eres líder?
- ¿Para qué eres líder?

Pareciera que te estoy haciendo la misma pregunta, pero créeme que son muy diferentes. A lo largo de los años desempeñándome como *coach*, las respuestas que suelo recibir de mis *coachees* al hacer estas dos preguntas giran alrededor de lo siguiente:

¿Por qué eres líder?

- Porque tengo X número de años de trayectoria en esta empresa y tengo un conocimiento muy amplio del mercado en el que competimos.
- Porque tengo la experiencia de trabajos previos para lograr los retos de este puesto.
- ¡Porque me lo merezco! Los resultados de mi equipo hablan por sí mismos.
- Porque siempre he soñado con tener esta posición.

- Porque soy madre (o padre) de familia y tengo que ser el pilar de mis hijos.
- Porque soy el mayor de mi familia y, por tradición, el mayor toma la dirección del negocio... Ha sido así por generaciones.
- Porque vengo de una familia de líderes, tengo que demostrar que yo no rompo con esa tradición.

Ahora bien, aquí te comparto algunas respuestas que recibo al cambiar el *por* por *para*:

- ¿No querrás decir *por qué* soy líder?
- Mmm... buena pregunta... ¿para qué soy líder?
- Para contribuir al logro de objetivos de la empresa.
- Para desarrollar a mi equipo y lograr los retos que tenemos.
- Para lograr mis metas.
- Para ser un ejemplo para mi familia.

En la mayoría de las ocasiones, los porqués se responden muy rápido; no sucede lo mismo con los paraqués. Las dos primeras respuestas que te comparto de para qué eres líder son muy comunes como primera reflexión por parte de los *coachees*. Esto se debe en parte a que, cuando respondemos a una pregunta basada en *por qué*, la respuesta te lleva a mirar hacia atrás. Cuando nos preguntan *para qué*, generalmente requieres visualizar tu futuro.

Antes de continuar leyendo, te invito a que ahora tú te respondas estas dos preguntas. Quizá ya te di pistas compartiéndote las respuestas que comúnmente recibo, pero te pido que no las vuelvas a leer, regálate el enterarte de por qué eres líder y para qué eres líder. Te hago el mismo comentario que les hago a mis *coachees*: la respuesta correcta es tu respuesta sincera.

Te invito a hacer el ejercicio de la siguiente forma: en una hoja de papel, escribe en la parte superior (para integrar una columna de respuestas para cada pregunta) lo siguiente: ¿Por qué eres líder? ¿Para qué eres líder? Una vez que tengas tus respuestas, te invito a que reflexiones acerca de lo que respondiste en cada columna.

Date cuenta de cómo las respuestas en la primera pregunta, generalmente, te llevan más a un tema de merecimiento, de posición, de jerarquía, llevan a temas de «autoridad». Las respuestas que te diste en la segunda columna, dado que el para qué te lleva a visualizar tu futuro, te llevan a temas de influencia, ¡de contribución! De eso se trata el liderazgo moderno, de inspirar a otros a la acción efectiva para el logro de objetivos comunes, compartidos. Y lo mismo aplica tratándose del liderazgo personal, de tu liderazgo como ser humano para lograr todos tus retos.

A manera de sugerencia, te invito a que apliques el para qué a las decisiones que tomes en tu vida diaria. Puede ayudarte a tener mayor claridad de lo que te motiva a decidirlas, elegirlas, quererlas, etc.

¡Otro *tip*! Antes de seguir, cuando tengas la respuesta del para qué, vuelve a preguntarte para qué la respuesta que te diste. Si te haces esa pregunta varias veces a la respuesta que te vas dando, vas a encontrar un para qué muy robusto y significativo. ¡Haz la prueba! y date cuenta de la emoción que surge en ti cada vez que te la respondes.

Regresando al tema del liderazgo y el servicio y la hospitalidad, me pregunto si en estos momentos te vas dando cuenta de por qué te doy la bienvenida a este negocio siendo líder. El liderazgo no tiene nada que ver con tu rango o el título de tu puesto, el liderazgo es una elección, es elegir ver por la persona que está a tu alrededor, tu entorno, es ver que las condiciones necesarias se presenten para cumplir con los objetivos.

Algunas veces el líder elige sacrificar sus propios intereses por el bien de quienes están a su lado.

Hay muchas personas que tienen título de «jefes» pero no necesariamente son líderes. Tienen la autoridad, pero nadie los sigue por elección, sino porque «tienen» o «deben» seguirlos, los obedecemos por el rango, por su autoridad, pero no porque nos inspire y elijamos seguirlo. A su vez, también hay personas que no tienen el rango de líderes pero lo son porque eligen ver por la persona que está en su entorno.

El líder moderno, que responde al entorno cambiante en el que vivimos, inspira a las personas a su alrededor a tomar riesgos, a equivocarse, a aprender de esas equivocaciones y fortalecerse para seguir caminando en el logro de una visión.

Te invito a que regreses a las páginas iniciales de este capítulo y leas de nuevo los conceptos relacionados con servicio y hospitalidad que te compartí. Date cuenta de cómo cada uno de ellos está relacionado con la persona. Este es el punto nodal en donde el servicio y la hospitalidad engranan con el liderazgo.

El líder de los tiempos modernos es aquel que es responsable de crear las condiciones necesarias para que las personas que integran su equipo o que están a su alrededor puedan desempeñar su función y logren sus objetivos. Dado esto, un líder requiere:

- Conocer las necesidades de los integrantes de su equipo.
- Crear un ambiente en el que su equipo se sienta bienvenido, cómodo.
- Hacer lo posible para que su equipo se sienta entusiasmado con lo que requiere hacer.
- Estar atento a la emocionalidad de los integrantes de su equipo.
- Hacer conciencia de la forma en que puede ayudar a los integrantes de su equipo.

- Conocer los requerimientos de cada integrante para el logro de sus objetivos.
- Resolver cualquier problema que tengan los integrantes de su equipo para el cumplimiento de metas.

El liderazgo es una elección, una capacidad que se desarrolla, no tiene que ver con el nombre de tu puesto, tu rango o tus conocimientos, el liderazgo tiene que ver con cómo eres al interactuar con los demás, con tu capacidad de persuadir y de que las personas te sigan por cómo eres y cómo planteas los retos para el logro de una visión.

Estoy segura de que en estos momentos te preguntas si no hay autoridad en un líder. ¿El hecho de estar en el negocio del servicio y la hospitalidad, al ser líder, no te permite tener autoridad? Mi respuesta es sí, sí tiene que ver con autoridad, pero si bien en el pasado el liderazgo estaba asociado a temas de autoridad formal, el de los tiempos modernos está engranado a una autoridad moral, a una elección, no a una imposición. **Un líder no es aquel a quien se le obedece, un líder es aquel al que eliges seguir, aquel que te inspira, que te desarrolla y te saca de tu zona de confort para lograr lo que quizá creías que no podías conseguir.**

El líder es valiente, y la base de su valentía es la vulnerabilidad, ya que tiene el valor de decir: «necesito ayuda, ¿quién me puede ayudar a definir la mejor alternativa en este tema? o, ¿quién me puede explicar».

El líder está enfocado en el servicio y la hospitalidad hacia las personas que lidera; su pregunta más frecuente es ¿Cómo puedo ayudarte?

¿Qué es lo más común en las organizaciones? Te puedo decir que, en mi experiencia trabajando con equipos de diferentes niveles, la tendencia del líder (no digo que en totalidad, pero sí en general) es que se encuentran en una posición en la que predomina el control y donde confluyen todas las razones que platicamos previamente acerca del por qué ser líder... nada que ver con los paraqués.

Siendo líder, únicamente hay dos cosas que puedes controlar: tu tiempo y tu presupuesto. A tus equipos, a las personas con las que colaboras no las puedes controlar, las puedes inspirar a que caminen alineados a un fin común. Tener el control puede llevarte a tener que utilizar la imposición o la fuerza, temas muy distantes a lo que realmente significa liderar.

Te comparto mi definición de liderazgo: **líder es aquella persona que inspira a otros a la acción efectiva para el logro de objetivos, para contribuir al logro de una visión común**. Date cuenta de cómo esta definición no tiene nada que ver con temas de control, de autoridad, más bien tiene que ver con temas de servicio y hospitalidad, tiene que ver con inspiración para tomar acción. El liderazgo no tiene que ver con el título de tu puesto, ¡tiene que ver con tu forma de ser! Dame la oportunidad de compartirte esta perspectiva del líder y cómo es que se relaciona con el servicio y la hospitalidad.

Los 4 pilares del liderazgo centrados en el servicio y la hospitalidad:

1. Tener claridad en 2 propósitos.
2. Ganarse la confianza.
3. Conflicto sano, productivo.
4. Rendición de cuentas mutua.

1. Tener claridad en dos propósitos.

La base del liderazgo se encuentra en alinear tu propósito personal al propósito de la empresa. Si no logras esta alineación, créeme que no disfrutarás de tu trabajo. Más que sentir pasión por los retos que te depare, lo que sentirás será estrés.

Hasta hace unas dos o tres décadas, era muy común que las empresas tuvieran definida su misión, visión y valores. Cabe mencionar que una cosa es tenerlos definidos y otra muy diferente es vivir estos conceptos en la vida cotidiana de la empresa y, además, que cada uno de los integrantes de la misma los vivan, los hagan realidad. En mi experiencia personal trabajando con empresas, es más común encontrar aquellas que los tienen definidos en las salas de juntas y muy presentes en los pasillos de las oficinas, pero no en los veres, oíres y haceres de la vida diaria del personal.

Desde mi perspectiva, para que el propósito realmente se viva en una organización, este debe estar alineado al propósito personal. Una persona que no conecta su propósito personal con el organizacional difícilmente dejará huella en su equipo, y más difícilmente disfrutará de su trabajo. Cuando el propósito personal del líder conecta con el propósito organizacional, es entonces que genuinamente se conecta al liderazgo con el servicio y la hospitalidad. **No importa en qué mercado se desempeñe tu negocio o empresa, si tienes definido su propósito y lo vives día a día, te encuentras en el sector del servicio y hospitalidad.**

Para clarificar esto que te comparto, a continuación te presento el propósito de algunas empresas.

- Tesla: aceleramos la transición del mundo hacia la energía sustentable.
- Walmart de México Y Centroamérica: contribuimos a mejorar la calidad de vida de las familias de México y Centroamérica.
- Nike: experimentamos la emoción de competir y ganar.
- Walt Disney: hacemos feliz a la gente.
- Merk: protegemos y mejoramos la vida humana.
- Mary Kay: damos oportunidades ilimitadas a las mujeres

- Microsoft: hacemos a cada persona y organización en el planeta más productiva.

Date cuenta de cómo, si no conocieras estas marcas, sería complicado definir el mercado en el que operan, y fíjate cómo su propósito va más ligado a un servicio, a un para qué existen. Si revisáramos su misión y visión (que no es la intención de este capítulo), te darás cuenta de que, generalmente, en estos conceptos queda definido el cómo y qué es lo que hacen para que ese propósito se convierta en realidad. En la misión y visión comúnmente se aterriza el producto o servicio en el que participan. El propósito tiene que ver con algo más allá de la misión y visión de la empresa, tiene que ver con el famoso para qué que comentábamos al inicio de este capítulo.

La función principal del líder es integrar un equipo con el que pueda cumplir el propósito de la empresa. ¿Será equivalente a la labor de un anfitrión? Se puede decir que un anfitrión ha realizado un trabajo impecable cuando logra que sus invitados disfruten, convivan y pasen un momento inolvidable. Si buscas el significado de ser un anfitrión, generalmente te encuentras con que **requiere de observación, previsión, cortesía y trato**. Lo mismo sucede con el líder: necesita planear, tener una clara visión y estar al tanto de lo que su equipo requiere para el logro de sus objetivos.

«El líder no es el responsable del logro de objetivos, es responsable de generar las condiciones necesarias para que las personas responsables de generar resultados logren su objetivo.»

Simon Sinek

La primera pregunta que debes hacer a tu equipo es: ¿cómo te ayudo a que puedas contribuir al logro de nuestro propósito?

2. Ganarse la confianza

Para ganarse la confianza de los demás el líder requiere tener presente cómo servir y ser hospitalario. Una forma en que puede ganarse la confianza es siendo empático, mostrándose vulnerable y aprendiendo a identificar la emocionalidad de los integrantes de su equipo.

¿Cómo se relacionan estos temas con servicio y hospitalidad? Tener amor incondicional por uno mismo y nuestro equipo tiene que ver con autoestima. No importa si las cosas salen bien o mal, tanto la autoestima del líder como la de los integrantes del equipo siempre estará en alto. Esto también tiene que ver con un espíritu de servicio: Independientemente de lo que pase, el líder responde por su equipo.

3. Conflicto sano, productivo

Un equipo o empresa que no toma decisiones basadas en el conflicto sano entre los integrantes seguramente no está mostrando los mejores resultados.

Un líder fomenta en el equipo el conflicto productivo, en donde expresas tu punto de vista sin querer tener la razón, simplemente exponiéndolo. Para generar un conflicto sano requieres estar en el mercado del servicio y hospitalidad, requieres generar ese ambiente de trabajo en donde cada uno de los integrantes se muestre seguro de dar su punto de vista sin temor a recibir represalias. El conflicto es inevitable por la simple y sencilla razón de que tenemos diferentes ideas, diferentes perspectivas, diferentes motivaciones. Pero requiero de un ambiente de servicio y hospitalidad para poder mostrar mi vulnerabilidad y generar conflicto productivo.

Cuando está presente el conflicto sano en el equipo, se incrementa la confianza, hay un espíritu de ganar-ganar, el cual únicamente se puede dar cuando está presente el estar al servicio de los demás. Cuando el servicio no está presente en un equipo, el conflicto genera situaciones de perder-perder. El conflicto productivo busca crear soluciones juntos.

4. Rendición de cuentas mutua

Al tener un objetivo común, un líder requiere dar claridad acerca de la forma en cómo alcanzarlo y motivar a los integrantes para que contribuyan a su logro. El líder requiere fortalecer a su equipo, requiere conocer a cada uno de los integrantes para acompañarlo en el proceso de lograr dicho objetivo. Para que los integrantes puedan rendir cuentas es importante darles retroalimentación (también el líder la recibe), así identificarán las áreas de oportunidad existentes.

Retroalimentar se integra por dos conceptos: *retro*, que significa «pasado», y *alimentar*, «nutrir». *Retroalimentar* tiene que ver con nutrir al otro sobre algo que sucedió en el pasado.

¿Te das cuenta cómo este tema también tiene que ver con el servicio y la hospitalidad? Una retroalimentación sincera se da y se recibe desde el espíritu de servicio hacia los demás, hacia un objetivo común. Más que un regaño, es recibida desde el espíritu de servicio, es un regalo que te ayuda a crecer como persona y como integrante de un equipo.

Un líder que da retroalimentación constructiva a su equipo cierra la conversación preguntando: «¿cómo te puedo ayudar a fortalecer esta área de oportunidad?». Nuevamente hablamos de servicio, y también de hospitalidad, ya que en esencia buscas la manera de que la otra persona se sienta cómoda con esa conversación incómoda. Un líder crea un ambiente en donde su equipo se sienta entusiasmado con los retos que tienen en el corto, mediano y largo plazo. Es una relación de ganar-ganar.

Mientras más alto estés en la pirámide organizacional, mayor debe ser tu entrega como servidor a todos los que te reportan. Imagínate qué tan importante es que el líder esté al servicio de su equipo y su entorno que, si un empleado abandona a un líder porque encontró un trabajo con mejor sueldo, puede decidir regresar con su jefe anterior por su forma de liderar. Por otro lado, un empleado que deja a su líder por cómo lo trató... difícilmente regresará por un buen sueldo.

Finalmente, espero que este capítulo haya dejado una pequeña huella en ti, una que cree conciencia de que al ser líder, ya sea de un equipo, una organización, siendo madre o padre de familia, o si únicamente lideras el rumbo de tu vida, requieres tener presente **para qué** lo eres, y es ese para qué el que te lleva al negocio del servicio y la hospitalidad. Recuerda: el liderazgo es una elección, no un rango. La misión de un líder es servir a sus seguidores eliminando los obstáculos que se encuentran en el camino para que puedan cumplir sus funciones.

HOSPITALIDAD

Mindy Landers

Semblanza: Mindy Landers es la máxima experta de habla hispana en creación de fortuna, libertad y hospitalidad. Es conocida por ser especialista en activar la intención de las personas para generar vidas excepcionales. Es fundadora de The Fantastic Fortune Foundation® y Freedom Addicts®, empresas enfocadas en que las personas reconecten con los cuatro aspectos más importantes de todos, transformando su salud, relaciones, finanzas y libertad de manera radical, para el máximo disfrute de sus vidas a través de la aventura.

Empresaria, abogada y conferencista internacional, autora de los libros *I Am Usefull*, *The Fortune Triangle* y *Becoming*, de editorial Gedisa Mexicana. Cuenta con un doctorado *honoris causa* por su investigación alrededor de cuatro continentes (ejecutada en los países con la mejor hospitalidad del planeta tierra), una maestría en *coaching* empresarial por parte del Instituto Superior de Empresa y Comunicación de Madrid (ISE-COM) y una certificación de *coaching* multidisciplinario por la International Society of Coaching (ISC). Es *coach* y mentora de empresarios, estrellas de cine, atletas de élite y celebridades en México, Estados Unidos, España, Francia, Italia, Georgia, Kazakhstan, Dinamarca y Reino Unido.

Intención: La intención de este capítulo es hacerte ganar más dinero de lo que puedas imaginar en los próximos 120 días, a la par que duplicar tu tiempo libre para hacer todas aquellas cosas que has estado posponiendo. Especialmente viajar. ¡¿Cómo?! A través de **absorber, perfeccionar y vivir diariamente** una sola habilidad que te será útil toda tu vida y que ya existe en ti. ¡Me refiero, claro, a **activar tu hospitalidad**! La hospitalidad es una forma de ser y se ve reflejada en tu forma de actuar al conectar con otras personas.

HOSPITALIDAD:

EL MILAGRO DE LA CONEXIÓN ABRE LAS PUERTAS A LA FORTUNA FINANCIERA

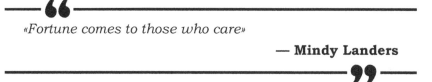

«Fortune comes to those who care»

— **Mindy Landers**

Todo empieza conectando con las personas. Tengo total certeza de que la hospitalidad es la habilidad más importante a ser desarrollada por cualquier emprendedor, empresario, inversionista y profesionista independiente. Irónicamente es de la que el 99% de las personas carece.

Por eso la llamo habilidad, pues implica una capacidad que crece al igual que un músculo cuando lo entrenas. Y dado que pocos están dispuestos a entrenar los músculos y mucho menos el cerebro (hay una pandemia de debilidad intelectual en este planeta), acuden entonces a fórmulas simplificadas y atajos. Por supuesto que dichos sistemas harán que las actividades sean realizadas, pero la gente rara vez proveerá el resultado buscado. El sistema saca adelante el trabajo. La persona hace exitoso al negocio. Nunca al revés.

Por lo tanto, es en nuestra habilidad para activar nuestra hospitalidad en donde radica el verdadero éxito para la creación de la fortuna financiera y libertad personal.

Una mochila llamada interés

«¿¡Por qué nadie me habló de este lugar tan alucinante!?». Con la potencia del estruendoso y equilibrado sonido producido por un gong, sentía resonar ese pensamiento en mi mente mientras contemplaba, en un frío día de otoño, la mezquita de Santa Sofía en Estambul, Turquía.

Era 2021, la pandemia por el covid-19 estaba vigente y aún así, en los últimos 24 meses, yo había aumentado más de diez veces mis ingresos, buscando la excelencia en la hospitalidad que proveía a mis clientes. En mi mente había una sola obsesión: profundizar cómo se vivía la hospitalidad en los países que los verdaderos trotamundos e inquisidores de las realidades sociales recomendaban como obligatorios para saber lo que era sentirte verdaderamente honrado de estar ahí por el milagro que es la conexión con otro ser humano. El milagro de la conexión con otro ser humano.

Lo que lees ahora es producto de una decisión de esas que se toman a último momento porque en el pecho sabes que es lo correcto. Mi intuición no se podía equivocar.

Este capítulo fue escrito de maneras que nunca sabremos, pues fue justamente el día de ayer, al llegar a Estambul, que tuve la oportunidad de volver a ver a Santa Sofía y contemplarla de frente. Ahora es noviembre de 2022 y esta es la última parada de un viaje de 365 días por decenas de países, en los cuales tuve el gusto de conocer cómo se vive y lo que es la verdadera hospitalidad de la mano de aquellas personas que tal vez no tienen nada o lo tienen todo y aun así te abren las puertas de sus negocios, de sus casas o de sus vidas por el simple gusto de **conectar** y de compartir lo mejor de sí con lo mejor de ti.

¿De dónde surgió esa idea tan loca de tomar la mochila y salir a investigar la hospitalidad de los lugares en los que supuestamente más presente estaba esta habilidad? De **saber** que había sido la hospitalidad la única capaz de otorgarme, a través de la paz, aquella fama y fortuna personal y financiera que tanto soñaba y que no lograba alcanzar.

Hubo una época en la que mi desesperación de llegar a más gente, vender mejor y poder ganar montañas de dinero me llevó a utilizar toda mi energía y recursos para aprender lo más que pudiera en materia de negocios. Le venía bien a mi desarrollo como *coach* y mentora y como anillo al dedo a mis empresas. Según yo...

Durante 15 años me dediqué a absorber todo el conocimiento que podía adquirir. Sabía que implementándolo se transformaría en sabiduría. Durante la mitad de mis veinte y casi todos mis treinta me olvidé de todo y de todos. Me comprometí con el triunfo y, rompiendo lanzas, me arrojé a la búsqueda del éxito. Tomé cientos de cursos, capacitaciones, entrenamientos y formaciones dentro de México y en el extranjero. Leí literalmente miles de libros. Fui a incontables simposios y conferencias. Me entrené con los mejores, más costosos y renombrados mentores, *coaches* y expertos (a veces ni los podía pagar y aun así me anotaba). Estudié diplomados, certificaciones, especialidades, maestrías y predoctorados. Fue una época muy loca y de mucha ironía. Hasta desarrollé un curso que se llamaba **Becoming: cómo emprender y no terminar gord@, enferm@, sol@ o loc@.**

Y ahí estaba yo: gorda, enferma, próxima a divorciarme y volviéndome loca, colgada del cinturón de seguridad de mi coche último modelo que había volteado después de quedarme dormida por llevar mi cuerpo y mente a todos los extremos posibles. Era 2019 y, tras destrozar mi coche, supe que había llegado a mi límite.

No podía seguir así

Para ese entonces vivía muy bien. Tenía un auto último modelo en el garaje, estaba casada y tenía la vida que siempre había querido. Mi boda, pagada por mí, había sido en la isla más exclusiva del caribe mexicano. Incluso tenía la dálmata que desde niña había deseado, haciendo equipo con una pastora alemana que cuidaba de mi hogar. Mi casa, de tres habitaciones, se encontraba en un club de golf. Hasta tenía mi propia piscina privada en mi amplio jardín, al que había provisto de un micro huerto. Mi hermana decía que «vivía de vacaciones».

A esas alturas ya aparecía dentro de las conversaciones de mi matrimonio la inminencia de empezar una familia. El problema es que sostener ese estilo de vida estaba, como ya sabemos, acabando conmigo.

Buscando alternativas para ser la mamá que quería ser y no la mujer que ahora veía al espejo, días posteriores a mi choque, me encontré a mí misma sosteniendo una mochila que había comprado en Japón unos años antes. Súbitamente tuve una revelación. Un recuerdo vino a mi mente. ***Omotenashi***. Dicho concepto me sacudió las ideas con tanta profundidad como el sonido de una moneda al caer a un pozo.

¡Claro! Las acciones encontradas en el *omotenashi* japonés eran las mismas que mis abuelos hacían de manera reiterativa: **cuidaban a sus clientes**. Tanto por parte de mis abuelos paternos como por parte de mis abuelos maternos, el emprendimiento estaba presente y curiosamente —con mucho trabajo y esfuerzo— ambos lados familiares habían prosperado. De niña, mi mamá y mi papá reservaban una parte de mis vacaciones para que yo fuera a trabajar con ellos. Era mandatorio. No había forma de huir.

Mi abuelo paterno tenía una firma legal, mi abuela paterna una farmacia y mi abuela materna era comerciante. Pasé muchas mañanas y tardes de vacaciones acompañándolos y haciendo las labores que me pedían. Había algo en común que siempre me llamó la atención: **la diligencia, el cuidado y la atención** que ponían a cada uno de sus clientes.

Haciendo ese análisis tuve una epifanía: mi abuela paterna había tenido su farmacia por 50 años y mi abuela materna sostuvo su actividad comercial por más de 50 años. Tenían muy bien construida su clientela y cuando cerraron sus negocios para jubilarse —a los 85 años o más— mucha gente los echó en falta. Empezaron con muy poco y terminaron con un patrimonio muy significativo.

¿Por qué me estaba acordando del *omotenashi japonés* y qué tenía que ver Japón con mis abuelos? El recuerdo me azotó con la misma intensidad que tiene un perfume recién atomizado.

Estando yo en Japón, hacía seis años, entré a una tienda de regalos para comprar los últimos recuerdos para mis sobrinos. Tía Mindy les llevaba, como cada vez que salgo de viaje, un pedacito de la tierra que estaba visitando. Era una helada tarde de febrero. El soplo del viento de invierno hacía las funciones de crioterapia en mi cara. Por lo tanto, el calor al entrar a la tienda apaciguó no solo mi congelada nariz, sino también mi pecho. El espacio se sentía bonito. Tomé los artículos que me parecieron excelentes opciones de *souvenirs* y contenta me dispuse a pagar. Dado que la temperatura, el olor y la belleza del lugar eran fantásticos, me sorprendió lo paciente que me descubrí a mí misma mientras observaba en la fila las interacciones de los dependientes de la tienda con los clientes.

Esa mañana Gabriel Uribe —escritor de esta editorial y autor de un capítulo de la colección de *Líderes que inspiran*—, mi *coach* en ese entonces, me había dicho por mensaje de voz: «disfruta del *omotenashi* japonés». ¿A que se referiría? Esa tarde descubrí que el *omotenashi* es una forma de ser que constituye algo más que la simple «hospitalidad». Es un acto de cuidado **excepcional** que tienen los japoneses con las personas que los rodean, como una cortesía que promueve la armonía. Es la práctica de una virtud.

Finalmente tocaba mi turno de pagar. Eran varios artículos, incluyendo un bloc de notas que había seleccionado para mi sobrina mayor. La sonriente empleada muy amablemente me preguntó en un en inglés bastante quebrado si había encontrado todo lo que buscaba. Intuitivamente le contesté: «yes». Lo que siguió marcó tanto mi vida que no existiría este libro sin ese momento.

Con el mismo cuidado con el que una madre arropa a un bebé y haciendo gala de una devoción a su labor que yo jamás le había visto a nadie, la colaboradora de la tienda sacó una hoja de papel hermosa y procedió a envolver la libreta. Mi hermana, que viajaba conmigo, y yo estábamos pálidas. Y eso que ella es algo morena. Nos volteamos a ver con la mayor cara de sorpresa que nos habíamos visto la una a la otra. En ningún momento pedí que la libreta fuera envuelta para regalo. Me pareció una gran propuesta y un super detalle de su parte.

Cuando terminó de forrar la libreta, ésta ya parecía obra de arte. Lucía como un regalo bajo un gran árbol de Navidad de una película con Nueva York de temática. Era simplemente hermoso. Y cuando pensé que ya había terminado con dicha pantomima, la mujer siguió moviendo las manos. Me di cuenta de que faltaba mucho de lo que estaba haciendo.

Con extrema delicadeza, selló con unas calcomanías la envoltura, colocando una etiqueta central que mostraba el logotipo del comercio. El paquete se veía sencillamente divino. Asombrada de aquel *show* y segura de que éste ya había concluido, saqué la cartera para darle el dinero y pagar. Solo que el momento continuaba. Parecía una escena de película de humor inglés al mero estilo que Mr. Bean en *Love Actually*.

Apenas terminó de colocar la etiqueta central, la odisea llegó a un nuevo nivel. La dulce dama sacó una bolsa de papel con asas que parecía haber sido fabricada para una sofisticada tienda en los Campos Elíseos. Nada más verla daban ganas de suspirar. Se notaba que el papel era extremadamente lujoso. La diminuta japonesa, esta vez con cara de evidente satisfacción, depositó la libreta de regalo dentro de esa bolsa. Para evitar que la misma se abriera, colocó una serie de calcomanías hechas evidentemente a la medida. La bolsa ahora parecía de una sola pieza. El ajuste era perfecto.

Yo estaba hipnotizada.

¿Qué era este lugar y este trato? ¿Qué era esto de la hospitalidad japonesa? Jamás había visto esta forma de atención al cliente.

La cereza del pastel llegaría en ese momento. Como nevaba, encima de la bolsa de papel puso una bolsa transparente de un material que, si bien era plástico, dejaba vislumbrar perfectamente la belleza del paquete, incluidos los sellos. Permitía tomar la bolsa de las asas sin dejar de cubrirla. Con la misma técnica de las pegatinas, procedió a sellar la parte de la base de la bolsa de plástico que ahora ya cubría a la bolsa de papel, evitando que esta se humedeciera. Y solo entonces me extendió la bolsa impermeable hacia mis manos.

Alucinada, pregunté cuál era el costo del envoltorio. Me dijo que no era nada, «es parte de lo que hacemos aquí», respondió casual.

Al momento de pagar me di cuenta de que lo estaba haciendo con un «billete grande». Generalmente en todos los lugares del mundo, si no traes cambio, debes salir a buscarlo o te pedirán que les proporciones un billete o una serie de monedas de menor denominación. Pero con la frescura de un helado de sakura —sí, eso existe—, la gentil japonesita recibió el billete. Con la mayor de las naturalidades, lo pasó por un pequeño láser para revisar su autenticidad y posteriormente me entregó el cambio. No hubo ninguna complicación en dicha transacción. Y no sólo eso. En una charola de plata —literalmente— depositó, billete por billete y moneda por moneda, el monto que correspondía a mi cambio, de manera que yo pudiera ver y contar con claridad lo que se me devolvía. Me dio las gracias con la autenticidad con la que solo un niño puede sonreír. Bajando la cabeza, nos dio las gracias mientras un «*arigato*» salía de sus labios.

Así terminó mi primera experiencia con la hospitalidad.

Ese momento me había enloquecido. Así que, sosteniendo la mochila azul en mis manos, me pregunté: ¿qué pasaría si yo pudiera replicar esto con mis clientes? 120 días después, la respuesta llegó.

Como empresaria, *coach* y mentora, estaba creciendo significativamente y lo que antes me tardaba un año en ganar ahora lo podía ganar en una hora. Y lo único que había cambiado era la hospitalidad, cómo yo cuidaba de manera excepcional a mis clientes, frecuentemente hasta de ellos mismos.

Esta evolución se hizo mucho más inminente durante toda la pandemia. Mientras la mayor parte de las personas que conocía pasaban por momentos financieros muy complicados, derivado de que muchas de sus actividades se veían reestructuradas, lo que había ocurrido conmigo era todo lo contrario. Tener diversificados mis ingresos había sido crucial, al igual que haber sistematizado mis procesos. Tal vez lo más importante fue saber cuánto valía mi trabajo y lo que la gente podía dar de sí misma y de sus negocios si colaboraba conmigo. Eso sí, todo eso era accesorio.

La gente me buscaba y se quedaba por mi hospitalidad

Celebrando a quienes se merecían el estatus como clientes, dejando ir a los que robaban aire con sus conversaciones como víctimas y siendo consciente de que quería destinar mi vida a ayudar a la mayor cantidad de gente a través de mis libros y mis videos de viajes desde la perspectiva de hospitalidad, se me ocurrió estudiar profundamente dicho tema. Para mi sorpresa, lo único que encontré cuando empecé a buscar bibliografía sobre la hospitalidad eran libros con sistemas, mecanismos y procesos que *había* que seguir para poder generar un resultado en específico. Pareciera como si una «forma de ser» se hubiera robotizado para lograr un resultado en específico. Me pareció fantástico, solo que inútil.

Seguir procesos, sistemas y estructuras no era suficiente, de ser así la mayor parte de las empresas serían exitosas y no lo son. Me adentré todavía más en el tema de la hospitalidad. Entonces descubrí que mucha de la información estaba enfocada en desarrollar experiencias dentro de los negocios, ya fueran aromas para el *lobby* de un hotel o albercas infinitas. También había cursos para atender de manera ostentosa —casi pretenciosamente— a los clientes de lugares bastante esnob. Encontré también información para restaurantes o empresas en el sector de la alimentación, incluyendo elementos para hospitales. Hasta había formaciones para aprender a tender de manera correcta las camas y maestrías en hospitalidad.

Después de casi un año de búsqueda minuciosa, no encontré nada para aquellos que querían conocer la hospitalidad como una forma de ser a implementar en su empresa o práctica como profesional independiente. Lo que sí hallé fueron algunas conferencias maravillosas en Ted Talks y Wobi que volaron mi cabeza. Fue así cómo me di cuenta de que había una serie de países con lugares cuya hospitalidad brillaba. Lugares con pobladores que poseían una forma de ser y de actuar tan importante e impactante que convertían en una delicia la vida de todos los extranjeros que cruzaban por ese camino.

La idea de ir a esos lugares no paró de pasarme por la cabeza por muchos meses. Fue justo cuando superé mi divorcio que decidí hacer todo aquello que había estado pausando mientras me había encerrado en mi matrimonio. No lo tuve que pensar mucho. Estaba dispuesta a utilizar absolutamente todos mis ahorros y enfocar una parte significativa de mis ingresos a investigar cómo funcionaba la hospitalidad en aquellos lejanos lugares.

Ayer terminé la primera parte de esta investigación. Por eso, recién salido del horno, en este momento te hago entrega de los tres elementos más importantes que encontré luego de visitar 10 países (México, Japón, Georgia, Dinamarca, Grecia, Albania, Macedonia, Armenia, España e Italia) que me dejaron fascinada con el alto grado de hospitalidad que poseen.

El triángulo virtuoso: calidez, confort y cuidado

Estos tres elementos son los que se hicieron presentes en cada uno de los países y en todas las interacciones significativas que llegué a sostener. Mi mejor recomendación es que imprimas en hojas grandes estos tres elementos por separado y los trabajes los próximos 120 días, desde que te despiertas hasta que te duermes. Hazlo de manera **constante, consistente, consciente, contundente y comprometida**. Te puedo garantizar que renovarán para bien tu situación financiera. Y a ti, dicho sea de paso, te volverán un ser humano verdaderamente humano.

Este modelo de negocio es exitoso por la naturaleza de su enfoque: está basado en un interés desinteresado. Te interesa la persona, no su dinero. La cosa es que la mayor parte de los modelos de negocio de transacción financiera —que es cómo funcionan el 99% de los negocios que hacen girar al planeta Tierra— están creados justamente por personas que piensan en términos de **marchante**. Están centrados en formas de vender por vender, no de vender por el placer de hacer un bien para la persona. Básicamente es un «te ordeño lo más que pueda».

A todos nos gusta comprar, pero a pocos les gusta que les vendan. Y mucho menos cuando nos miran como carne de cañón.

Así, pues, resulta que la hospitalidad por sí misma tiene su propia manera de garantizar el crecimiento constante y sostenido de la empresa porque se crea a partir de clientes que nos son fieles, arduos seguidores o grandes *fans*. Eso genera recompra y te posiciona en el mercado a lo largo de los años. Vamos, que eso es flujo de caja continuo, puro y duro. Y lo logras de una sola manera: **siendo el destino favorito de tus clientes y usuarios**.

Hay una forma para convertirte en el preferido. Sigue esta fórmula:

1. **Confort**.
2. **Calidez**.
3. **Cuidado**.

1. Confort

La mayor parte de las personas deseamos sentirnos confortables. En realidad, lo primero que buscamos es la comodidad, aunque somos bastante conscientes de que esta es pocas veces obtenible (por eso es tan demandada).

Comodidad es estar en un estado parecido al que tenemos en nuestra cama un domingo por la mañana. *Confort* es sentir el calor del fuego mientras sostienes tu bebida favorita, rodeado de buena música y gente que quieres, cuando afuera se avecina una tormenta de nieve. Hace frío, hay una serie de complicaciones y, aun así, estás «a gusto». Como sabemos que el confort es un lujo, estamos dispuestos a hacer mucho para acceder a él.

Déjame te explico: todo aquello que facilita nuestra vida la hace confortable. Mantenernos a nosotros mismos con vida implica un alto grado de desgaste energético. En ese acto diario de permanecer con un latido en el corazón, todo aquello que elimine el consumo de energía y el malestar es confort. Por ello, estar confortable es para prácticamente todos y cada uno de nosotros una necesidad básica.

Piensa en lo siguiente: cuando sales de viaje, sabes que tendrás un día muy largo. Hay que recorrer grandes distancias en la ciudad, en el aeropuerto, en el taxi. Sube la maletita. Baja la maletita. Camina. Fórmate. Sonríe al oficial de la aduana. Un poco más. Ahora compáctate en el asiento. Por fin después de muchas horas llegas cansado, a tu destino. Yo he llegado a contar que camino 10 kilómetros cuando tengo conexiones en aeropuertos, siendo ello, en serio, parte de mi entrenamiento de alpinista.

Entre más confort dentro de toda esa incomodidad puedas encontrar, mejor consideras que está yendo tu día. Por eso han florecido los *lounge vip.* Eso sí, puedes llegar al mejor hotel, el más bonito y el mejor evaluado, pero si no encuentras confort en la cama ni en las almohadas, créeme, no regresarás. Lo he vivido. Lo más importante es el confort.

El confort es *esencial.* Y como empresarios, inversionistas y profesionistas independientes, es un elemento que expande tu negocio. Si eres un gran profesional, sabes que lo más importante que puedes otorgar a tu cliente es la tranquilidad de sentirse confortable contigo, a pesar de que estén teniendo una conversación incómoda. Prefieres que tu contador te diga que las cosas van mal a que te mienta y deje de haber solvencia para el pago de impuestos. Agradeces que tu *coach* te diga aquello que temías escuchar antes de que te cueste la salud mental. Honras que tu abogado te comparta los riesgos que hay detrás de esa transacción que estás por hacer antes de meterte en un problema penal que te ponga «tras las rejas».

2. Calidez

Tengo la firme creencia de que uno de los elementos que más buscamos los seres humanos es la calidez. De hecho, si te fijas nada más en el acto de nacer, lo primero que sentimos es frío. Por lo tanto, la actividad número uno que realizan los doctores posterior a las revisiones que hacen con los bebés recién nacidos es abrigarlos y llevarlos cerca de su madre. Inmediatamente conocemos el poder del calor humano.

La propia naturaleza de la palabra *hogar* viene de *hoguera*. Si te fijas, tiene que ver con el calor. El fuego tiene un solo objetivo a efectos de esta explicación: trasladar la sensación de «calientito» al alma, acto que se siente maravilloso cuando hace frío o estás estresado. En el *hygga* danés —el *omotenashi* de la gente de Dinamarca— el elemento más importante es justamente ese acto de calidez.

El segundo elemento de este triángulo virtuoso que te invito a probar es buscar crear calidez en cada una de las acciones e interacciones que generes con tus clientes. Verás, la calidez no se puede sistematizar. Puedes explicar cómo crear actos cálidos, pero si la persona que va a proveer el acto es fría, estarás persiguiéndote la cola como lo hacen los perros. No hay nada que se pueda hacer.

La calidez es un elemento raro, por lo tanto, aprender a detectarlo y valorarlo será toda la diferencia entre un buen servicio y la mejor de las hospitalidades. Sencillamente una persona cálida es una de esas personas con la que te sientes maravillosamente bien nada más estar cerca de ella. Dan esa sensación de cercanía, confianza y familiaridad. Son un gran abrazo al corazón y crean en tu cerebro las mismas reacciones que te da una de estas sopas para enfermos, cuando sientes que la vida escapa de tu cuerpo de lo mal que te sientes. Una cucharada del caldo de pollo con hierbabuena que mi papá me prepara cuando me enfermo muy feo hace que todo vuelva a su sitio y que yo vuelva a creer en la vida.

Cuando encontramos espacios que nos invitan a la calidez, nuestra naturaleza es querer regresar a ellos porque se sienten agradablemente **familiares**. Nos sentimos identificados con el calor que nos da nuestra mamá o papá, nuestra cama, nuestra mascota, nuestros amigos o nuestra colonia. ¿Porque no habría de ser igual en nuestros negocios? Si te fijas, la mayor parte de las personas busca consumir un producto en aquellos lugares que resulten cálidos, que les sean familiares. No necesariamente tiene que ver con que la comida, por ejemplo, sea majestuosa o barata, sino con quiénes son y cómo se sienten en ese destino. Ocurre un fenómeno super interesante: visitas frecuentemente los restaurantes donde te sientes muy a gusto, muy contento y muy feliz, es casi un privilegio poder ir ahí.

Cuando yo era niña, mi papá nos llevaba de viaje muy frecuentemente. Tanto mi mamá como él son viajeros ávidos (tengo la certeza de que es de ahí de donde saqué la adicción a viajar). Un día nos pidieron a mí y a mis hermanos que preparáramos las maletas. Casi no dormí esa noche de la emoción. Íbamos a conocer el desierto. Nada más dieron las 5 de la mañana nos subimos al coche. En esta ocasión iríamos a conocer el norte de México.

Fue justamente cuando estábamos tomando la carretera que nos llevaría al norte del país que mi papá prendió el radio. La estación de noticias compartía lluvia e inundaciones en el que sería nuestro destino. Mi papá, sin siquiera orillar el coche, volteó a ver a mi mamá. Después, por el retrovisor, nos volteó a ver a nosotros. Miró a los ojos a cada uno de sus tres hijos y exclamó: «¿ahora qué hacemos?». Un corto silencio precedió sus ahora famosas palabras: «ya sé. Vámonos a Acapulco».

La respuesta fue muy evidente. Cada uno de nosotros, mi hermana, mi hermano y yo, nos volteamos a ver. Luego miramos a mi mamá. Después a mi papá. Casi al unísono, con muy buen humor y mucha emoción, todos respondimos: «vámonos a Acapulco». Y así, con nuestras maletas llenas de ropa de frío y la mejor de las actitudes, nos fuimos a Acapulco.

Es cierto que acapulco me parecía hermoso y en definitiva estaba cerca de Ciudad de México, que es donde yo vivía. Pero lo más importante es que teníamos muy buenos recuerdos de sus playas, la temperatura era tan conveniente y tenía gran variedad de hoteles, albercas, restaurantes y diversión garantizada. Hoy no me extraña que en esa ocasión haya aparecido como el destino favorito para disfrutar en familia.

Te invito a que tu empresa, tu práctica profesional o la prestación de servicio que proveas esté llena de calidez. Porque cuando las personas se sienten familiarizadas con tu negocio y sienten «apapacho» como decimos en México, o bien, obtienen esa atención especial por parte de la persona que los recibe, la única consecuencia que puede haber es que regresen y lo hagan frecuentemente. Así es como te transformas en un destino. Ya no eres una elección accidental, no eres más un lugar de prueba, sino un lugar de constancia, un lugar ya decidido.

Nuestro cerebro es el órgano que más consume energía. Lo que busca es eficientizar la toma de decisiones para no tener que gastar energía a cada momento. Una vez que nosotros, con la ayuda de nuestro cerebro, decidimos qué un lugar se convierte en algo que nos encanta, lo ingresamos a nuestra lista de favoritos.

Si te fijas, los lugares más tradicionales y de mayor éxito no necesariamente están a la moda, tienen los mejores precios o son los más baratos. Con frecuencia son los más costosos, aunque no los más lujosos y a muchas personas les importa poco que sean bonitos. Si siguen activos es porque son los preferidos de la gente. Estos lugares han entendido cómo replicar ciertos elementos que generan calidez.

Queremos sentir familiaridad, sentirnos extremadamente a gusto en un lugar en donde seamos siempre bien recibidos. Es la misma sensación que teníamos al llegar a casa de nuestros abuelos los que tuvimos el privilegio de tener abuelos que nos amaban y nos consentían descomunalmente. Por eso resulta tan importante que el equipo de personas que se encarga de atender a nuestros clientes sea cálido y sepa cómo cobijarles para que queden fascinados.

Claro que siendo frío o tibio puedes crear una compra y seguramente, con un buen vendedor, puedes generar incluso una recompra. Pero lo que no crearás es lealtad, que se traduce en volverte su favorito. Siempre estarán buscando a alguien más que los atienda.

Somos el grueso de la población quienes queremos tener un favorito y ya no tener que pensar ni buscar quién más nos va atender. Queremos poder regresar con esa persona o lugar con quien nos sentimos super bien cada vez que interactuamos, porque sabemos que nos vamos a sentir maravillosamente mientras estamos ahí y después de estar ahí. Nos generan una serie de emociones de alegría y placer. Nos sentimos privilegiados: «¡quién fuera yo que puedo estar aquí!».

3. Cuidado

Esta característica tal vez es la que menos estudiada está y a mi gusto es la más importante de todo el tema de la hospitalidad.

Cuidar no tiene que ver con atender. Estamos absolutamente convencidos de que cuando estamos atendiendo a alguien lo estamos cuidando y no es así. La realidad es que atender a alguien es un acto meramente de poner atención. No implica que haya cuidado.

Me explico. Mi hermana es pediatra y nos comparte que en su práctica profesional es muy frecuente ver niños desatendidos por sus padres. Lo nota en la forma en que el niño se ve, en la manera en cómo se conduce o cómo se genera el accidente o problema de salud, motivo de la consulta. También nos dice que ve niños muy bien cuidados por sus padres y por eso frecuentemente puede prevenir un tema de muerte infantil.

El acto de cuidar es muy superior que el de atender

El trabajo de un mesero es atenderte. Sabrás que te atendió porque te llevó tu comida caliente, aunque se le haya olvidado llevarte los cubiertos para poderte comer dichos alimentos, o darte más agua cuando morías lentamente de sed. Te atiende, aún cuando te lleve el agua cuando terminas tus alimentos y estás pagando la cuenta.

Un cuidador es como una mamá. La mía es una de esas que Dios inventó para presionarte y hacerte crecer en tu mejor versión. Es una persona extremadamente cuidadosa en ambos sentidos: cuida en la connotación de proteger y, al mismo tiempo, cuida de tal manera que siempre busca mi expansión y mi mayor bien. Por ello siempre está atenta a que yo no entre en un estado de comodidad. Siempre que me ve acomodándome empieza a «joder». Sé que es por ello que soy exitosa.

Para cuidar hay que saber que algo es importante y únicamente puedes saber eso si te ha costado trabajo. Ahora está muy de moda la idea de que nos merecemos las cosas solo por ser nosotros y por nuestra linda cara, porque estamos conectados con el universo. En principio la idea es bastante buena, únicamente que, además de merecernos las cosas, hay que trabajarlas. Merecer por merecer es un pensamiento extremadamente egocéntrico. O sea, sí, solo por ser tú mereces lo mejor. ¡Pero ahora sal y constrúyelo! Sabemos que algo o alguien es importante porque lo hemos trabajado, porque hemos invertido nuestra energía en ello, hemos invertido tiempo y dinero.

Nuestros negocios son hijos. Demandan nuestra energía, dedicación, tiempo y atención. Solamente así florecen de forma saludable. Llama mi atención que la gente que más cuida de sus negocios, personal y clientes es la que está generalmente al pie del cañón. Eso es que están físicamente en sus negocios. Estos dueños conocen muy bien qué es lo que quieren entregar a su cliente. Saben cuál es su modelo de negocio y qué es lo que están buscando ofrecer como diferenciador. Tienen fresca la razón por la cual emprendieron y buscan entregársela a sus clientes en cada visita que estos les hacen.

Con todo lo que precede al acto de cuidar, está claro que la calidad es una forma en la que se ve reflejado este elemento. Asimismo, la innovación, disrupción y precios competitivos no son otra cosa que, cuidado, cuidado, cuidado y más cuidado. Es con el cuidado que conectas con tu forma de crear una diferencia en este mundo. Cuando pones al frente de tu negocio a alguien que no entiende la importancia y cuidado que requieren los clientes y proveedores, cometerás el error más grave y frecuente en el cual cae todo empresario. Habilidad no es destreza. El cuidado que tú tengas contigo mismo y el que haya de manera interna hacia tu equipo de trabajo se verá reflejado en el acto de cuidado que le das a tu cliente. El cuidado que le das a tu equipo de trabajo es tan evidente como reconocer a un maltratador por cómo se relaciona con su esposa en la calle.

Recuerda. El cuidado lo es todo. La excelencia vive en los detalles. Y los detalles son pequeños actos de cuidado con precisión milimétrica.

Gran error, gran lección

La vez que peor cuidada me sentí fue la misma que viví con el menor confort y con el trato más frío que he sentido. Y sí, fue en mi noche de bodas.

Nos hospedamos en uno de los hoteles más lujosos de la zona. Prácticamente parecía una galería de arte maya, con los acabados más espectaculares que había visto en años y técnicamente todas las comodidades. Sin embargo, desde el *check in* no me sentí del todo cómoda, noté la ausencia de calidez inmediatamente. Me trataban como si estuvieran «haciéndome un favor». Con los nervios por las nubes, como buena novia, dejé pasar la situación... Mal asunto.

Llegue de mi boda aproximadamente a las 3 de la mañana con la noticia de que habíamos dejado la llave en la habitación. Gracias a Dios estaba totalmente sobria. Nunca pudimos encontrar a alguien en la recepción. Todavía tengo la duda de si la persona salió a tomarse una copa, estaba en un momento íntimo o simplemente decidió no ir a trabajar. Lo que sí sé es que a las 3 de la mañana, en una isla como Holbox, terminé entrando a la habitación con la ayuda de dos escaleras y un poco de mis habilidades adquiridas con artes marciales.

Es una buena historia para compartir, pero en su momento no fue nada divertida.

A pesar de que es uno de los lugares más bonitos en el mundo y el hotel es considerado como uno de los mejores en la zona, nunca regresaría. La ausencia de cuidado que tuvieron en un día tan importante me deja en claro el tipo de servicio que proveen.

No hay nada como la hospitalidad que viene de la calidez, el confort y el cuidado. Y eso solamente lo puede entregar alguien que comprende la importancia que su cliente tiene por sí mismo. Frecuentemente cuidar al cliente es cuidarlo hasta de sí mismo.

Así, la invitación está hecha. En 120 días, escríbeme. Me encantará leer los milagros que estás activando para ti y para la humanidad.

GRACIAS POR LEERNOS

Gracias por confiar en que podrías encontrar respuestas en esta edición. Posiblemente encontraste historias con las que te sentiste más identificado y otras con las que no tanto, de eso se trata la vida, tomar lo que nos hace sentido y conocer y respetar otros puntos de vista.

Esperamos que hayas podido encontrar entre todos estos episodios, algo que te permita avanzar hacia una mejor versión de ti, simplemente se necesita que te decidas a tomar acción, porque recuerda, ¡todo queda lejos, cuando NO queremos ir!

Revisa nuestras diferentes ediciones. Seguramente encontrarás alguna nueva disciplina de tu interés y nuevos 15 líderes listos para compartir valor. Bendiciones.

Made in the USA
Monee, IL
26 April 2023

32478725R00174